Réussir la qualité totale

dans une entreprise de services

Données de catalogage avant publication (Canada)

Legault, Gilles

Réussir la qualité totale dans une entreprise de services

Comprend des références bibliographiques.

ISBN 2-89416-037-2

1. Qualité totale. 2. Services (Industrie) — Qualité — Contrôle. 3. Relations avec la clientèle. 4. Efficience dans l'industrie. I. Titre.

TS156.L43 1991 658.5'62 C92-096067-7

Impression: Imprimerie d'édition Marquis Ltée

Pour être régulièrement informé de la parution de nos nouveaux livres, veuillez communiquer avec nous à l'adresse suivante:

Éditions Vermette Inc.
151, boul. de Mortagne #106
Boucherville (Québec)
J4B 6G4
(514) 641-1334

ISBN: 2-89416-037-2

Dépôt légal: Ottawa, Canada 4e trimestre 1991

Réussir la qualité totale

dans une entreprise de services

Préface de Roger Néron, Président du Groupe de concertation sur la qualité

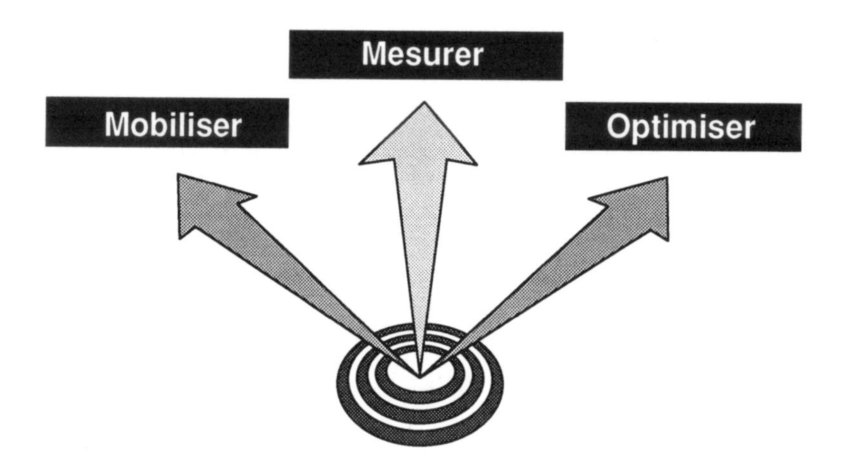

Remerciements

Au Professeur Joseph Kélada de l'École des hautes études commerciales de l'Université de Montréal, qui m'a intéressé à l'étude de la qualité en 1977.

À M. Guy Gougeon, vice-président de la télévision française à la Société Radio-Canada, qui a créé les occasions favorables à mon apprentissage.

Préface

Ce livre vient à point. La qualité de service de nos entreprises, autant privées que publiques, ne va pas en s'améliorant, loin de là. De toutes parts, le consommateur se plaint de la détérioration du service. Pour ne citer qu'un exemple, la norme de rapidité à répondre aux appels téléphoniques est en train de passer de 5 à 10 sonneries.

Gilles Legault a le mérite d'arriver au bon moment. Il a su *ramasser* tous les éléments du concept de la qualité totale, et les présenter de façon intelligible, intéressante et pratique, tout en les adaptant aux situations clés du service proprement dit.

En écrivant cette préface, l'occasion m'est fournie de répéter pour la nième fois que la responsabilité du mauvais service incombe en bout de ligne à la direction et non pas aux exécutants sur la ligne de feu. Le vénérable monsieur Deming va même jusqu'à leur donner 88 p. cent du blâme...

Les systèmes défectueux, les livraisons non conformes, le manque de formation, l'incohérence entre le discours et l'action, l'absence de véritable leadership, ne sont quand même pas l'apanage des soldats. Tous ces ratés de l'organisation viennent des généraux et des colonels.

On dit un peu partout dans le monde que la décennie '90 sera celle de la qualité de service. Je souhaite ardemment que le Québec *embarque* le plus tôt possible. Ce livre nous aidera tous à le faire.

Roger Néron

Table des matières

Introduction

La qualité apparaît comme une notion abstraite, impalpable et virtuelle jusqu'à ce que quelqu'un dans l'entreprise néglige de faire son travail convenablement. Il faut alors corriger l'erreur et s'excuser auprès du client. Le client est-il interne ? L'étape de l'excuse est sautée...

Ce livre veut servir de guide pratique pour comprendre le processus de mise en place de la qualité totale. Il cherche avant tout à fournir au lecteur un éventail d'outils pour articuler efficacement un programme en entreprise. L'objectif ultime de cet ouvrage : aider les directions à **réussir** en affaires.

Plusieurs concepts et techniques présentés dans ce guide sont inédits. D'autres s'inspirent des enseignements des maîtres comme Joseph Juran, W. Edwards Deming, Kaorou Ishikawa, Vilfredo Samoso, Tom Peters, John Naisbitt, Joseph Kélada, Jacques Horovitz et d'autres.

Ce livre s'adresse aux cadres de direction aussi bien qu'aux agents de maîtrise des processus : les cadres intermédiaires.

À la rigueur, ce *manuel de mise en place de la qualité totale* peut avantageusement être utilisé par les employés à l'exploitation qui verront dans certains chapitres des *recettes* pour améliorer progressivement la qualité des services.

L'approche a été maintes fois expérimentée en entreprise. Cependant, nous devons avouer que peu d'organisations ont vraiment réussi la *qualité totale.* Les raisons sont nombreuses. Soulignons comme raison principale qu'au fil des semaines, des mois, des années, les convictions et les principes qui sous-tendent la *qualité totale* s'effritent souvent au profit des bonnes vieilles habitudes.

En somme, les directions d'entreprises demeurent insatisfaites des résultats en affaires mais résistent à changer leurs façons de faire.

Convenons que la qualité totale apparaît comme un objectif fuyant au gré des attentes des clients qui ne cessent de croître et de se modifier.

L'approche rigoureuse présentée dans les chapitres qui suivent ne peut que conduire les organisations vers une mobilisation efficace de toutes les ressources vers des sommets jamais égalés auparavant.

Chapitre 1

La qualité totale, une mine d'or à exploiter!

Les manquements à la qualité coûtent cher aux entreprises : 24 milliards $ annuellement, au Québec seulement, selon une étude récente du ministère de l'Industrie, du Commerce et de la Technologie. En 1986, une semblable étude révélait que dans les services, la non-qualité représente parfois plus de 40 p. cent du chiffre d'affaires. Il s'agit là d'une véritable mine d'or à exploiter. Plutôt que se battre, conquérir de nouveaux marchés pour grossir les profits, ils sont là, au sein même de l'organisation.

Au milieu des années 80, les dirigeants de la société IBM ont réalisé l'enjeu de la qualité par le raisonnement suivant : si leurs 400 000 employés généraient chacun des économies de l'ordre de 1000 $ par année, l'entreprise augmenterait ses profits de 400 millions $. D'autre part, pour réaliser des bénéfices équivalents, ces mêmes dirigeants ont établi qu'il faudrait augmenter les ventes de 2,66 milliards $! Leur programme d'amélioration de la qualité était lancé.

Conséquences de la non-qualité

Quelles conséquences pourraient représenter la perte d'un client, sur une période de dix ans, à cause de la mauvaise qualité de service ? La direction de la chaîne d'alimentation Provigo sensibilise ses gérants de points de vente et ses *franchisés* en faisant valoir les revenus potentiellement perdus si un seul client tourne le dos à leur établissement. Une famille moyenne dépense environ 125,00 $ par semaine pour se nourrir. Un calcul rapide, tenant compte d'un taux annuel d'indexation de 4 p. cent, conduit à la perte de revenus de près de 80 000,00 $ sur dix ans, pour un seul client !

Lorsque la non-qualité se manifeste à l'interne, comme les erreurs qui se commettent quotidiennement sans affecter le service à la clientèle, les conséquences se répercutent sur l'efficacité de l'organisation et sur les coûts d'exploitation. Combien coûte telle erreur à corriger ? Quelles démarches faut-il entreprendre afin d'y remédier ? Osons mesurer, calculer...

Dans une organisation à but non lucratif, étatique ou autre, les conséquences de la mauvaise qualité de service se traduisent aussi par un mécontentement de la clientèle et une efficacité grandement affaiblie de l'organisation. Très souvent, cette situation ternit l'image de l'organisme impliqué. Sur ce plan, la très grande sensibilité des politiciens et des administrateurs au sein des gouvernements les force à réagir lorsque des manquements sérieux sont dévoilés au grand public. Ainsi, un citoyen, victime du mauvais fonctionnement de la minuterie d'un parcomètre, a vu ses déboires juridiques réglés en sa faveur, et la contravention annulée, lorsqu'il a alerté les médias...

Où en êtes-vous dans votre entreprise?

Voici cinq phases correspondant à l'importance accordée à la qualité dans une organisation de services.

Phase 1 Des clients se plaignent occasionnellement de la qualité du service. Des erreurs se commettent et sont réglées au fur et à mesure. Personne ne semble se soucier de la qualité des services.

Phase 2 La direction a mis en place un service à la clientèle pour régler les différends avec ses clients insatisfaits (une ou plusieurs personnes en ont la responsabilité).

Phase 3 Un système de contrôle de la qualité identifie les manquements et prévoit des correctifs. La direction se demande pourquoi des clients se plaignent et comment des erreurs peuvent-elles se commettre.

Phase 4 Un programme d'assurance de la qualité prévoit le déroulement des activités selon un «modèle» et permet la vérification du niveau de qualité recherché.

Phase 5 Un programme de gestion de la qualité, axé sur la prévention des défaillances et la satisfaction totale des attentes de la clientèle, est en place. Des équipes d'amélioration de la qualité cherchent continuellement à satisfaire davantage le client, à éliminer les erreurs, à simplifier et à rendre le processus de travail le plus économique possible.

Avez-vous reconnu votre entreprise dans l'une des cinq phases ? L'importance que votre organisation accorde à la qualité se situe dans les premiers échelons ? Si oui, ce guide de mise en place de la *qualité totale* s'impose !

Vouloir la qualité ne suffit pas

Les bonnes intentions non appuyées par un système rigoureux mènent à des attentes sans fondement.

D'autre part, augmenter les contrôles ne réussit qu'à filtrer les manquements avant qu'ils ne se rendent au client, interne ou externe. De plus, les contrôles de qualité coûtent cher lorsqu'ils sont effectués par une personne autre que celle qui fait le travail. Une autre approche s'impose.

Malgré les développements technologiques fulgurants, notamment dans le traitement de l'information, la qualité des services semble sans cesse se détériorer. Pourquoi donc les deux courbes ne sont-elles pas parallèles ?

La qualité dans les services n'apparaît pas d'emblée mesurable. Les critères de qualité sur lesquels s'appuient les fabricants de produits s'appliquent rarement comme tels dans les services. Par exemple, les indices de réparation d'appareils sous garantie n'existent pas dans les services.

Comme pour rendre la situation plus nébuleuse, les consommateurs semblent accepter une dose importante de laisser-aller dans la qualité des services avant de se plaindre. Alors si les clients ne se plaignent pas, les entreprises n'ont alors aucun motif de changer leur comportement !

Plusieurs études tendent à démontrer que la clientèle préfère changer de fournisseur de services plutôt que se plaindre aux autorités. La société américaine *Technical Assistance Research Programs* a conclu, au terme d'une recherche sur les habitudes des consommateurs, que 26 clients sur 27 insatisfaits ne se plaindront pas, la principale raison étant qu'ils ne s'attendent pas à obtenir plus de satisfaction en le faisant. La même étude conclut que 91 p. cent de ceux qui se plaignent ne reviendront pas. Le plus dramatique est qu'une personne insatisfaite le dit à neuf ou dix autres et 13 p. cent des insatisfaits vont le dire à au moins 20 personnes !

Lorsqu'un fabricant lance sur le marché un produit dont la fiabilité laisse à désirer, les clients vont assurément revenir pour faire réparer le *bidule.*

Mais dans une entreprise de services, la qualité est déficiente lorsque les clients ne sont plus là !

Mieux vaut alors *prévenir* les manquements à la qualité avant de voir la clientèle fuir.

De nos jours, lorsqu'une organisation se distingue par la qualité exceptionnelle de ses services, c'est la bousculade à ses portes. Des établissements de restauration sont devenus bondés de clients. À cause du prix ? De l'accès facile ? Ou de la rapidité du service ? **Seule la valeur que les clients y accordent en fait foi**.

La croissance fulgurante des *Clubs Price* en Amérique en témoigne.

Il est étonnant de voir des consommateurs parcourir de grandes distances pour trouver, selon leur perception, un service qu'ils croient exceptionnel. Par exemple, des clients d'institutions financières, mécontents du service de l'établissement du quartier, décident de transiger avec une autre institution beaucoup plus éloignée de leur domicile ou de leur lieu de travail, dans l'espoir d'obtenir un meilleur service.

Autre exemple, des clients de supermarchés, las d'expériences malheureuses répétées (prix de vente non conformes à la publicité, produits en solde en rupture de stocks, sacs d'épicerie égarés lors de leur acheminement au comptoir de service à l'auto...), décident de changer de bannière.

Pour demeurer à la hauteur de la situation, la stratégie d'affaires des années 90 apparaît simple : **enchanter les clients par la qualité, au moindre coût**. Voilà un énoncé facile à lancer. Sa réalisation est plus complexe, cependant... Mais les preuves de rentabilité sont là : améliorer la qualité, c'est du même coup réduire les coûts.

La *démarche vers la qualité totale*, ou l'*intégration de la gestion de la qualité* à toutes les activités de l'organisation, pointe dans ce sens.

Cette approche rigoureusement structurée assure 100 p. cent d'efficacité à l'entreprise. Gagnante du prestigieux prix Malcolm Baldrige, Federal Express a démontré ce principe dans son engagement à offrir le meilleur service de courrier qui soit, en mobilisant constamment son personnel pour mesurer chaque geste et optimiser toujours davantage le processus pour mieux servir le client.

La *démarche qualité* pourrait se définir par une série de zéros désignés comme *les zéros de la qualité* :

zéro erreur
\+ zéro délai
\+ zéro plainte
\+ zéro travail repris
\+ zéro réclamation
\+ zéro perte
\+ zéro air bête
\+ zéro mépris
100 p. cent d'efficacité

Ce *voyage* proposé vers la qualité totale nous apprendra à ***mesurer pour s'améliorer (et non pour contrôler), à mobiliser toutes les énergies de l'organisation afin d'optimiser tout le processus.***

Si nous sommes insatisfaits des résultats, il faut changer notre façon de faire. Sans changement, les résultats seront les mêmes. Il faut apprendre à mesurer : les temps de réponse et d'exécution des tâches, le nombre de gestes posés..., en somme, tous les paramètres tangibles. Il faut aussi apprendre à vérifier fréquemment auprès de la clientèle, interne comme externe, si la qualité des services reçus demeure toujours conforme à ses attentes. Il faut apprendre à mesurer les intangibles : le taux de satisfaction générale, l'image perçue, ce que le client ressent dans ses transactions avec l'entreprise, l'attitude et la motivation du personnel..., et tous les autres critères *viscéraux* qui ne représentent pas des caractéristiques *physiques* du service.

Il n'y a pas d'amélioration sans une appréciation du niveau de qualité : on n'améliore pas ce qu'on ne connaît pas.

La peur de la mesure est cependant fort répandue dans nos organisations. De grandes sociétés ont vu leurs efforts d'amélioration de la qualité des services étouffés par la base, par leurs employés et leurs cadres de supervision eux mêmes. Trop souvent, ces entreprises ont eu un passé plutôt terne dans leurs évaluations du rendement de ses employés. Ce type de mesure s'était traduit par des jugements destructifs et néfastes pour le moral des cadres et celui de leurs employés.

Dans la recherche de la qualité totale, une autre approche s'impose.

Mesurer pour s'améliorer

et non pour contrôler

Figure 1

Chapitre 2

Embrouillamini!

Pourquoi le taux horaire des réparateurs d'appareils électroménagers représentent-ils près de cinq fois le salaire des techniciens qui effectuent les réparations ? Pour quelles raisons les garagistes augmentent-ils leurs prix pendant que les sondages d'opinion démontrent toujours un taux élevé d'insatisfaction chez les automobilistes ?

Voici quelques éléments de réponses.

Un client se voit contraint de faire remplacer le moteur et le radiateur de sa voiture. Le concessionnaire d'une grande chaîne canadienne de services à l'auto prend trois fois plus de temps que promis pour effectuer les réparations. De retour chez lui, le client constate une fuite de liquide antigel. Un peu débrouillard, il resserre lui-même le collet d'étranglement en faute. Deux jours après le remplacement du moteur, le silencieux crève lors d'un voyage à la campagne. La brèche semble prématurée et inexplicable. Le client retourne chez le garagiste qui recommande le remplacement de tout le système d'échappement. Le client acquitte la facture. Deux jours plus tard, lors d'un autre voyage à la campagne, le «résonateur» crève à nouveau et tout le silencieux semble s'être affaissé dangereusement. L'établissement remplace le système d'échappement à ses frais. Dès la mise en marche du moteur, le client se plaint d'un vrombissement dans l'habitacle. Le garagiste explique qu'il a fallu attacher directement le silencieux au milieu du plancher de la voiture pour éviter son affaissement. Autre voyage sur l'autoroute. Le résonateur surchauffe et ouvre à nouveau. Le garagiste décide de pousser plus loin ses recherches : la synchronisation de l'allumage des bougies avec la rotation du moteur n'avait pas été vérifiée lors de son installation et était à ce point mauvaise qu'une partie des explosions se produisaient dans le pot d'échappement ! Nouvelle réparation au silencieux. Cette fois, le client insiste, malgré l'opinion du gérant, pour empêcher le mécanicien d'attacher directement le système au plancher de la voiture et ainsi éviter la conduction mécanique des vibrations.

Le client s'est par la suite plaint par courrier au bureau central de la compagnie. Il reçut quelque temps après un accusé de réception lui mentionnant laconiquement que la plainte avait été référée à l'établissement concerné.

Une importante ville canadienne a expédié près de 200 000 comptes de taxes erronés. Un programme informatique aurait appliqué aveuglément une donnée au mauvais chiffre. Il en a résulté une fausse « valeur uniformisée » aux propriétés. De nouveaux comptes de taxes ont dû être expédiés. Plusieurs contribuables mécontents ont communiqué avec les fonctionnaires.

Des retards importants ont été notés dans l'acquittement des factures. Dans cette même ville, un propriétaire a reçu, en 16 mois, 21 comptes de taxes et 12 avis de modification de la valeur de sa propriété au rôle d'évaluation. Les comptes de taxes affichaient individuellement des montants de 2,49 $, 4,08 $, 11,07 $..., et ont tous été expédiés, à grands frais, par la poste à réception certifiée.

Une conductrice perd la vie sur l'Autoroute des Laurentides, au nord de Montréal, lorsque la plaque métallique de recouvrement d'un joint de dilatation d'un viaduc fracasse le pare-brise de son automobile. Deux rapports d'ingénierie avaient pourtant recommandé d'y effectuer des travaux de réfection. Ces dossiers n'avaient pas été considérés prioritaires...

Plus récemment, une poutre s'est partiellement détachée d'un autre viaduc de la même voie rapide. Heureusement dans ce cas, personne n'a été blessé.

À plusieurs occasions, des skieurs se sont retrouvés immobilisés dans les chaises quadruples d'une remontée mécanique dans l'une des plus importantes stations de ski du Québec. Par des froids sibériens, certains ont attendu jusqu'à deux heures avant que des employés viennent à leur secours avec des moyens très rudimentaires. Impatience, angoisse, engelures, colère. L'image de la station de ski a été entachée par la publicité faite dans les médias autour de l'incident. Une partie de sa clientèle s'est tournée vers d'autres centres. Ce centre a été vendu quelque temps après...

Un abonné du téléphone allait aménager dans une nouvelle maison en voie de construction. Deux mois avant la date du déménagement, le client complète le coupon attaché à l'enveloppe-réponse du paiement mensuel en indiquant la date du déménagement.

Une semaine avant la date prévue, il apparaissait clair que le constructeur n'allait pas terminer les travaux à temps. L'abonné en avise l'entreprise de service téléphonique. “ Il n'y a aucun problème, monsieur, je fais tout de suite l'entrée dans l'ordinateur, laissant la date définitive du déménagement « ouverte »; vous n'aurez qu'à nous téléphoner la veille pour que nous procédions au débranchement et au raccordement de votre nouvelle ligne téléphonique ”, annonce (au téléphone) la préposée au service à la clientèle. “ Il est bien vrai que l'efficacité passe par ... ”, s'exclame le client.

Le vendredi soir, date où le client avait tant rêvé de dormir dans sa nouvelle demeure, il trouve sa ligne téléphonique « morte » en revenant de son travail. Appel au *service des réparations.* Explications à la préposée : “ Non, je ne déménageais pas aujourd'hui !... J'ai appelé il y a quelques jours... ”

Le service est rétabli le lendemain, en après-midi.

Le lundi, en revenant de son travail, l'abonné trouve la ligne morte à nouveau. Le préposé au service des réparations explique au téléphone : “ Nous avons respecté l'ordre de débranchement inscrit dans l'ordinateur par le service à la clientèle. ” A cette heure, les bureaux du service à la clientèle de la compagnie sont déjà fermés. Le mardi, une préposée offre des excuses et le service téléphonique est à nouveau rétabli. Cet exemple démontre une réelle volonté d'offrir un bon service mais, à cause de vices d'organisation, les bonnes intentions se sont effritées.

En 1988, la Régie d'assurance-automobile du Québec a dû assumer des coûts de l'ordre de centaines de milliers de dollars en frais d'administration pour remplacer des vignettes d'immatriculation de mauvaise qualité : les autocollants pâlissaient rapidement lorsqu'ils étaient exposés au soleil. Peu de temps après leur installation, on ne pouvait plus y lire les renseignements. Bien sûr, l'imprimeur a été blâmé et mis en demeure pour avoir livré une marchandise non conforme à ce qu'il avait promis. La RAAQ s'est vue livrer sans frais de nouvelles vignettes de meilleure qualité mais elle a dû absorber tous les frais d'administration dans ses budgets d'exploitation.

S'il est victime d'une erreur, un client modifie rapidement sa perception de confiance dans l'organisation avec qui il transige. De plus, si le client constate un désordre dans le fonctionnement de l'entreprise, il devient vite agacé et irrité. Sa fidélité n'est alors plus assurée.

La clientèle accepte très mal les bévues des entreprises avec lesquelles elle fait affaires. C'est ainsi qu'en 1989, plus de 10 000 détenteurs de cartes de crédit de la pétrolière Exxon aux États-Unis ont retourné leurs cartes à la suite de la négligence du capitaine du super-pétrolier Exxon-Valdez, trouvé responsable d'avoir provoqué un désastre écologique sans précédent.

La non-qualité se *voit* partout dans les commerces de détails. Il semble impossible, par exemple, à certains établissements de régler le problème des files d'attentes. Les institutions bancaires et les supermarchés pêchent en ce sens jour après jour, comme s'ils ne s'attendaient pas à une visite soudaine aussi nombreuse... Au lieu de mobiliser les employés pour répondre à l'accroissement de l'achalandage, le contraire semble se produire : ils sont moins nombreux au moment où leur présence est requise. C'est la pause-santé ! la pause-repas ! Et les clients maugréent, vont ailleurs !

Que penser des tablettes vides de certaines chaînes de magasins de détails au moment où vous vous présentez pour acheter la marchandise en solde tant convoitée ? Était-ce une stratégie pour attirer le client ? Bien sûr, les soldes sont là pour ça. Mais honni soit qui pense y voir mauvaise intention de la part du marchand ! Blâmons plutôt une coordination boiteuse entre l'acheteur, le fournisseur, le centre de distribution et l'établissement de détail...

On offre bien des *coupons d'achat différé* (« Rain Checks »), mais ces coupons n'ont jamais donné la marchandise au client au moment où il la voulait !

Qui n'a pas eu le sentiment de *déranger* les fonctionnaires des services gouvernementaux lors des contacts avec eux ? Il semble que ces services soient tellement centrés sur leur fonctionnement interne qu'ils en oublient leur raison d'être : leurs clients !

Les directions des centres hospitaliers du Québec ont utilisé pendant longtemps les médias pour influencer l'opinion publique, celle des politiciens et, en bout de piste, celle du gouvernement, pour obtenir des crédits supplémentaires et combler des déficits accumulés. Dans plusieurs institutions hospitalières, la qualité des services semblait en contradiction avec les sommes dépensées. En début d'année 1990, le ministre de la Santé a annoncé que les budgets d'exploitation des centres hospitaliers seront dorénavant directement proportionnels au rendement, à l'efficacité de l'organisation. Voilà un virage courageux, à l'image des redressements dans les milieux d'affaires...

La qualité, c'est possible!

Un client se présente au poste de ravitaillement « L'Essenciel » à Longueuil, au sud de Montréal. La pompiste, au mi-temps de la vingtaine, lance d'un ton aimable : “ Le plein ? ” À peine a-t-elle inséré le bec verseur qu'elle demande au client : “ Me permettez-vous de vérifier l'huile ? ” Après s'être exécutée avec empressement, elle fait part au client que le niveau d'huile est suffisant mais un peu bas et qu'il faudra en jauger la quantité plus fréquemment. Elle ajoute : “ Avez-vous du lave-vitre dans votre coffre arrière ? Le réservoir est presque vide. ” Lorsque le client lui répond qu'il en a à la maison, elle lance : “ N'oubliez pas d'en verser en rentrant chez-vous ! ” Ce client est devenu un habitué du poste de ravitaillement, même après que la pompiste eut quitté pour un autre emploi : tout le personnel démontrait la même amabilité ! De toutes les stations-service de cette artère importante, seul cet établissement a un achalandage aussi élevé. La recette est simple : on y offre le meilleur service et les meilleurs prix pour des produits identiques à ceux de la concurrence.

Au rayon des meubles du magasin Woolco de Ville LaSalle, en banlieue de Montréal, un client se présente à l'heure du déjeuner pour acheter un aspirateur central. Le commis surnuméraire qui accueille le client semble dépassé par la gamme des appareils et accessoires offerts et décide de téléphoner au chef du rayon, à sa période de repas chez lui près du magasin. Quelques minutes plus tard, le chef de rayon, retourné précipitamment au magasin, complète la transaction de quelques centaines de dollars. Le client, enchanté par l'excellent service, a témoigné par la suite sa reconnaissance en adressant une lettre à la direction de l'entreprise.

En quelques années seulement, la station de télévision CKSH Télévision de Sherbrooke s'est taillée une place enviable dans un marché très compétitif. Membre du groupe de stations affiliées au réseau français de Radio-Canada, elle ne s'est pas laissée remorquer par la Société d'État. Par ses bulletins de nouvelles locales et régionales percutants, sa programmation innovatrice et l'originalité de ses productions commerciales, elle s'est attirée les faveurs du public et des publicitaires. CKSH Télévision a même obtenu un important contrat de Radio-Canada pour une contribution quotidienne en direct à sa programmation nationale. Les acquisitions de CKSH Télévision en immobilier et en appareillage technique témoignent de la croissance et de la santé financière de l'entreprise. Le succès de CKSH Télévision repose en très grande partie sur le style de gestion qu'on y pratique. Les employés connaissent bien les enjeux d'affaires. Les équipes de production évaluent fréquemment les contributions de chacun de leurs membres au succès du groupe. Les ajustements se font pratiquement sans l'intervention de la direction...

La Caisse populaire de la Maison de Radio-Canada fut la première dans les annales du Mouvement Desjardins à voir ses employés se syndiquer et à déclencher un arrêt de travail (1980). Par une gestion participative, une nouvelle direction a par la suite modifié toute la philosophie de l'entreprise. Récemment, la Caisse affichait un taux de croissance de son actif de plus de cinq fois la moyenne de la Fédération des caisses populaires. Un exploit maintes fois répété depuis le règlement du conflit de travail !

Chapitre 3

Pour comprendre et intervenir adéquatement

Définition de la qualité

Nous avons tous notre définition de la qualité en regard de biens achetés et de services obtenus. Un sondage d'opinion conduirait à la construction d'une mosaïque de définitions plus ou moins biaisées dans le sens de perceptions personnelles et d'expériences vécues. La qualité prend donc la définition de celui ou celle qui la donne :

- * pour un client externe ou interne, c'est un service qui satisfait ses besoins et ses attentes ;
- * pour un préposé aux achats, c'est une livraison qui répond en tous points aux normes et exigences de la commande;
- * pour un responsable de l'exploitation, c'est la conformité aux méthodes et aux pratiques courantes ;

* pour la direction du service des finances, ce sont des budgets qui s'équilibrent ;
* pour les gouvernements, c'est la protection du public ;
* pour l'employé, c'est la reconnaissance de son travail comme hautement satisfaisant ;
* pour les actionnaires, c'est un bon rendement sur leur investissement de capital ;
* pour l'entreprise, la qualité, c'est une question de survie !

Voilà plusieurs définitions de la qualité. Voici celle énoncée par Peter Druker dans son livre *Innovation and Entrepreneurship* : « ***La qualité tient uniquement à la valeur qu'un consommateur accorde à un produit ou à un service.*** » " Voilà une évaluation tout à fait subjective! ", direz-vous. Bien sûr! Les clients jugent rationnellement et avec émotivité la valeur des services qui leur sont rendus. Cette notion de valeur pour le client est primordiale.

Les exemples de réactions émotives des consommateurs sont nombreux. La Laiterie La Ferme avait gagné la faveur d'un très grand nombre de consommateurs, il y a quelques années, en livrant quotidiennement des produits laitiers à domicile. Un matin, son lait a mauvaise odeur. La direction de l'entreprise rassure la clientèle par le truchement des médias en annonçant que le lait ne présente aucun danger pour la santé. Les clients ne lui pardonnent pas : c'est la mort de l'entreprise. Ses installations sont alors vendues à un concurrent.

Les attentes de la clientèle incluent la protection de l'environnement. L'exemple de réaction émotive le plus percutant des temps modernes est le mouvement de protestation soulevé par le naufrage de l'Exxon-Valdez : 10 000 clients américains ont retourné leurs cartes de crédit à la Société Exxon en guise de protestation suite à la négligence du capitaine du navire.

Des situations coûteuses pour l'entreprise

Les conséquences de la non-qualité varient selon la situation :

La plus coûteuse : *Lorsqu'un client est insatisfait.* Que se passe-t-il alors? Il y a de nombreuses communications et démarches, le risque de perdre le client est grand, l'image de marque de l'entreprise est ternie, etc.

Moins coûteuse : *Lorsque la correction est faite avant la livraison.* Bien sûr, dans ce dernier cas, il faut alors reprendre le travail, mais le mécontentement du client est évité.

La moins coûteuse : Un *programme de prévention* dans l'entreprise.

Peu d'employés et de gestionnaires semblent convaincus des effets bénéfiques de la prévention systématisée. On constate parfois un laisser-aller incroyable dans leur organisation. L'insouciance mène à l'inefficacité, à l'augmentation des coûts de production, à l'insatisfaction de la clientèle et, plus grave encore, conduit souvent à la disparition de l'entreprise.

Combien de sociétés ont été abandonnées sous les assauts de la concurrence! Combien de sociétés ont été acquises par une autre sous le couvert d'une consolidation, d'une diversification! Ne s'agit-il pas là d'un échec déguisé pour les administrateurs de l'entreprise ainsi vendue?

La qualité n'est pas l'effet du hasard. Il ne suffit pas de vouloir la qualité pour l'obtenir. Assister à une conférence sur le sujet, participer à un séminaire sur la qualité totale, lire quelques livres n'assurent pas non plus la réussite de la démarche. La philosophie de gestion de la qualité doit être intégrée au comportement de chacun des intervenants internes et externes de l'entreprise. *Chaque employé **fait la qualité** dans son travail quotidien.*

Plusieurs dirigeants, désireux de redresser rapidement une rentabilité précaire par le biais de la *démarche qualité totale*, n'en ont visiblement pas mis en pratique les principes lorsqu'ils délèguent purement et simplement à leurs directeurs à l'exploitation le mandat de *faire de la qualité.* Voilà une tâche qui ne se délègue pas sans avoir démontré une adhésion totale *par l'exemple* !

La qualité ne s'obtient pas par magie. C'est le résultat d'un processus souvent fort complexe. Cependant, le *plan d'attaque* apparaît simple. Il se profile selon quatre étapes essentielles à franchir pour atteindre toute amélioration :

1. La mauvaise qualité et ses conséquences sont quantifiées ;
2. La preuve du besoin d'intervenir est faite ;
3. La relation cause-effet est établie ;
4. Une action corrective en découle.

Le processus d'amélioration continue se profile donc ainsi.

La mauvaise qualité et ses conséquences sont quantifiées

Sans cette étape, la perception de la situation demeure floue. Les erreurs et les plaintes prennent d'énormes proportions ou, au contraire, voient leur importance minimisée. La métrologie, c'est-à-dire la mesure de la conformité du travail aux spécifications du processus et de la commande du client, demeure l'activité privilégiée du contrôle de la qualité.

Pour évaluer, et même quantifier les aspects non mesurables de la qualité (comme au sein de certains services de support à l'exploitation), des indicateurs de qualité sont identifiés, des critères d'évaluation sont précisés, des échelles d'évaluation subjective sont élaborées, des indices de qualité sont périodiquement passés en revue.

La preuve du besoin d'intervenir est faite

Lorsqu'un certain nombre de données pertinentes ont été recueillies, le portrait de la qualité prend toutes ses couleurs. Une décision d'intervenir ou non est alors prise. C'est le stade de la concentration de l'attention sur les effets, sur les résultats observés. Un plan d'analyse est alors préparé. Notons que la preuve du besoin d'intervenir est souvent tributaire de la volonté de la direction d'apporter des changements...

La relation cause-effet est établie

Sans l'effort pour remonter le courant, pour trouver en amont les causes véritables de la non-qualité, les observations et les interventions se limitent aux effets observés en aval. On joue alors le rôle de sapeur-pompier. La situation ne change alors pas vraiment à long terme. Seule une recherche de la source véritable des plaintes des clients, des erreurs, des malentendus, de la démobilisation du personnel..., peut conduire à des changements profonds sur la route de la qualité totale.

Une action corrective en découle

Il ne sert à rien d'analyser et de planifier des stratégies si aucune action corrective est par la suite lancée. Trop souvent, des rapports d'études pourrissent au fond des placards, parfois avec des conséquences dramatiques. Par exemple, deux rapports d'ingénierie du ministère des Transports du Québec avaient recommandé la réfection des joints de dilatation d'un pont enjambant la rivière des Prairies, au nord de Montréal, avant qu'une plaque de métal s'y détache après le passage d'un camion, soit projetée dans les airs et arrache littéralement la tête d'une conductrice automobile, qui y a perdu la vie...

Dans plusieurs grandes organisations, les plans de redressement sont souvent flous ou voilés par une vision trop globale et diffuse. Les chasses gardées demeurent. Les remous au sein de l'entreprise sont soigneusement amortis. Les annonces de programmes d'excellence représentent fréquemment un exercice soigneusement planifié en relations publiques pour redorer l'image de l'entreprise ternie par des erreurs flagrantes de stratégie ou des manquements à la qualité de service décriés par les médias. À l'interne, peu de choses changent, les élans se voient souvent freinés par le personnel ancré dans ses traditions, quand il n'est pas sceptique sur les résultats escomptés. Toute l'organisation perd alors une occasion de s'améliorer.

Les quatre niveaux d'intervention sur la qualité

Dans le but de clarifier des termes souvent confus, distinguons les quatre niveaux d'intervention suivants sur la qualité :

1. Le contrôle de la qualité
2. L'assurance de la qualité
3. La gestion de la qualité
4. La qualité totale.

Le contrôle de la qualité

C'est une intervention par laquelle le résultat d'un procédé ou d'une activité est mesuré pour en comparer les données avec des objectifs visés. Lorsqu'un employé note une défaillance, c'est-à-dire un écart entre la mesure et l'objectif visé, et fait la correction appropriée, il exerce un contrôle de la qualité. Ce contrôle a donc pour but le respect des normes et spécifications du processus en regard des besoins et des attentes du client.

L'assurance de la qualité

C'est une fonction par laquelle la direction maintient une vérification du bon fonctionnement du processus et des résultats des procédés, afin d'atteindre (avec assurance) les résultats visés. Cette vérification dépasse la fonction contrôle de la qualité en ce sens qu'elle rejoint certaines activités de gestion, au-delà de la simple mesure de la conformité des résultats avec les normes fixées. Un programme d'assurance de la qualité peut prendre une forme très complexe. Dans certaines organisations, par exemple, un cahier de procédures et de responsabilités propres à chaque fonction sert de charpente au programme d'assurance de la qualité. Plusieurs grandes sociétés de génie-conseil ont un Manuel de la qualité qui régit toutes les activités de mise en marché des services, d'étude des besoins des clients, de production des devis, des plans et des dessins, des visites aux chantiers et autres.

La gestion de la qualité

Il s'agit d'une fonction de gestion donc, telle que généralement perçue, une fonction de planification, d'organisation, de direction, de contrôle et d'assurance (P.O.D.C.A.) de la qualité.

C'est le système de pilotage de tout le programme d'évaluation et d'intervention *qualité* dans l'entreprise. À ce titre, ce système définit, dans un premier temps, la politique de l'entreprise en matière de qualité de service, la stratégie et les objectifs visés. Dans un second temps, il définit les modalités d'assurance et de contrôle. Il prévoit alors la capacité de poser des diagnostics et de faire des pronostics sur le comportement de la qualité de service et sur l'aptitude de l'organisation à remplir adéquatement sa mission. Le système définit aussi l'organisation sociale, c'est-à-dire les fonctions et les responsabilités de direction (planification, organisation et audits-qualité), celles des cadres de supervision (assurance de la qualité) et celles du personnel à l'exploitation (contrôle).

Le programme de gestion de la qualité définit aussi les systèmes d'information pour la gestion. Il identifie les données significatives à mesurer. Il précise les critères d'évaluation et les échelles de mesure. Il prévoit la façon de traiter l'information ainsi recueillie, et les types de synthèses et de rapports acheminés à la direction et aux centres d'exploitation.

Le programme de gestion de la qualité prévoit aussi la formation et le développement des ressources humaines. Il prévoit enfin le programme de reconnaissance pour les efforts d'amélioration et les modalités de célébration des succès obtenus.

Gérer la qualité, c'est...

Définir une politique claire en matière de qualité, en tenant compte des forces distinctives et des objectifs stratégiques de développement de l'entreprise.

Planifier et organiser les systèmes d'assurance et de contrôle de la qualité pour vérifier le niveau de qualité des services offerts à la clientèle, pour corriger les défaillances et pour prévenir toute dérogation aux objectifs fixés.

Définir le plan de mobilisation des ressources humaines dans un processus d'amélioration continue.

Figure 2

La qualité totale

La qualité totale ne représente pas un *moyen.* Elle apparaît plutôt comme un *objectif* à atteindre. Seule une philosophie de gestion axée sur la mobilisation de toute l'organisation vers la satisfaction, voire l'enchantement du client, et l'utilisation de techniques appropriées de détection et d'analyse des défaillances mènent à la qualité totale.

Cet objectif pourrait être représenté par une liste de champs dans lesquels l'organisation doit exceller.

Voici quelques cibles visées par la qualité totale :

- Qualité technique (conformité aux normes)
- Qualité de l'image (réputation de l'entreprise)
- Qualité de la gestion
- Qualité de la communication
- Qualité des relations inter-personnelles
- Qualité de la formation
- Qualité du personnel
- Qualité des valeurs culturelles
- Qualité du rendement sur les capitaux investis.

Pour réussir en situation de concurrence vive créée par la mondialisation des marchés, il faut dépasser la simple satisfaction des attentes et viser la séduction, l'enchantement de la clientèle ! Pour y parvenir, il faut préalablement connaître les caractéristiques recherchées par ce client. Serait-ce la rapidité du service ? le prix de vente ? l'exactitude ou la précision du travail ? une attention personnelle ? une compétence rassurante ?... Il faut donc mesurer la qualité. La connaissance de ce que le client recherche et souhaite constitue le point de départ fondamental de tout programme de qualité totale. Dans plusieurs entreprises, on ne connaît même pas les attentes du client, et on ne veut pas le savoir !

L'étape la plus concrète du cheminement vers la qualité totale consiste donc à mesurer à l'aide d'outils spécifiques le niveau de qualité pour mieux focaliser l'attention sur des aspects particuliers de l'organisation : des indices de qualité sont développés; l'analyse statistique trace le comportement de la qualité et aide à poser un diagnostic juste et à faire des pronostics. Les histogrammes illustrent les tendances de la qualité, selon les diverses caractéristiques de service recherchées par le client interne ou externe. Les techniques d'analyse et de solution de problèmes aident à atteindre progressivement la *qualité totale.*

À la suite de l'identification des *indicateurs de qualité de service*, il faut mobiliser toute l'organisation. L'erreur de confier à une seule personne la tâche d'améliorer la qualité des services de l'entreprise équivaut à l'embauche d'un policier au sein de l'organisation. La mobilisation s'exerce plutôt dans un partage des enjeux d'affaires par la direction avec ses employés, dans une consultation, dans des échanges de renseignements et dans la planification conjointe d'actions. Avec le plein accord de la direction, des *Équipes d'amélioration de la qualité* regroupant des employés de mêmes unités de travail, se réunissent régulièrement pour analyser les problèmes de qualité de service et y apporter des correctifs, pour améliorer leurs méthodes de travail, et pour chercher à satisfaire davantage le client au meilleur coût.

L'étape suivante consiste à optimiser le processus client-fournisseur afin de rationaliser et simplifier toute la chaîne en amont du client, jusqu'au fournisseur des *intrants* au processus. Tous les services de supports à l'exploitation sont alors passés en revue et s'inscrivent dans la démarche *qualité totale.*

" Du gros bon sens ! ", direz-vous. Erreur ! La démarche vers la qualité totale est laborieuse, longue et souvent pénible. Elle commande fréquemment des changements profonds de la culture même de l'organisation, et force parfois à modifier le style de gestion qu'on y pratique. Les abcès dans les relations direction-employés teintées de mépris sont crevés. Les chasses gardées sont ébranlées au nom de la rationalisation du processus pour mieux servir le client. La simplification, l'efficacité s'imposent.

L'Américain Edwards Deming, le père de la *révolution qualité* japonaise, lançait, il y a quelques années à des compatriotes dirigeants d'entreprises réunis en assemblée : " Vos employés veulent naturellement faire de la qualité. Vous et vos cadres de supervision leur mettez continuellement des bâtons dans les roues. " Voilà une piste de réflexion intéressante...

Seule une volonté énergique de changement peut engendrer des actions correctives. C'est pourquoi un engagement sincère des décideurs représente une condition essentielle de réussite de la qualité totale. Au départ, fermés à tout changement, plusieurs gestionnaires se sont vus sévèrement confrontés à une crise de survie de leur entreprise avant de réaliser le besoin de modifier leur style de gestion et d'entreprendre, dans les plus brefs délais, une *démarche vers la qualité totale.* Dans plusieurs cas, le changement est venu trop tard...

L'iceberg

Un client se plaint d'un mauvais service rendu. Des erreurs sont constatées ici et là. Un contrat passe à un concurrent. L'absentéisme augmente... Ce n'est que la pointe de l'iceberg.

Sous la ligne de flottaison de l'iceberg baignent d'autres effets de la non-qualité et les causes, les sources véritables des effets nocifs sur l'organisation.

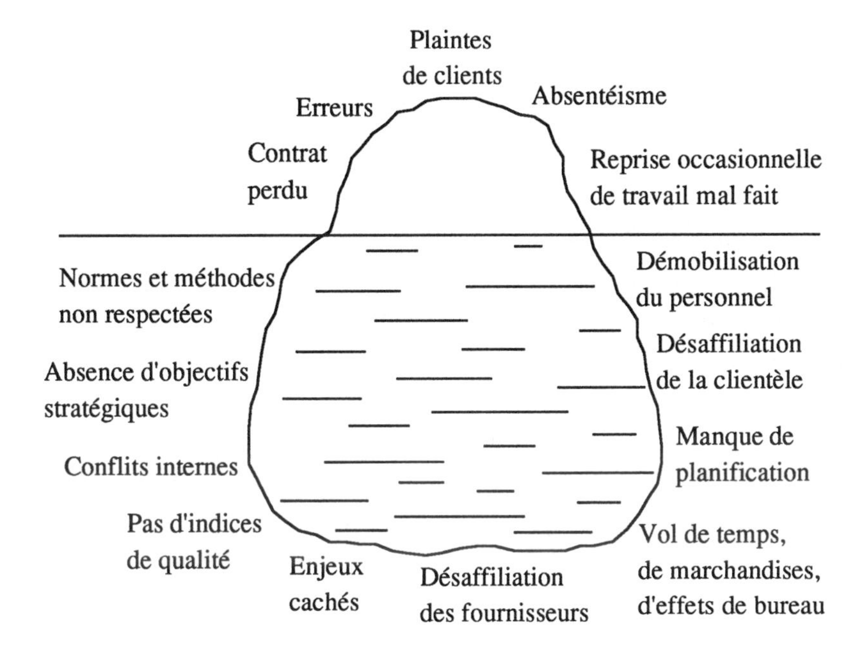

Figure 3

De tels icebergs voguent à la dérive. Des dirigeants bien intentionnés s'obstinent à intervenir uniquement sur les manifestations visibles de la non-qualité. Ils jouent alors constamment un rôle de sapeur-pompier. On ajoute un baume sur les plaies. Un responsable du *contrôle de la qualité* fait de son mieux en signalant ici et là les manquements, en identifiant les secteurs fautifs...

L'entreprise fantôme

Quelle que soit l'organisation, la plus grande partie de ses ressources sont normalement productives. Un personnel compétent et motivé atteint non seulement des résultats conformes aux objectifs fixés mais innove en améliorant les méthodes et la qualité du service à la clientèle.

L'autre partie de l'organisation fait fondre les budgets d'exploitation par sa nonchalance, ses erreurs, son taux d'absentéisme élevé. Plus dramatique, des employés mécontents, en contact avec la clientèle, se comportent de façon rebutante. Il ne sera pas étonnant de voir les clients transiger ultérieurement avec un concurrent.

Voilà le concept de l'entreprise fantôme, celle qui utilise de précieuses ressources et qui ne produit rien.

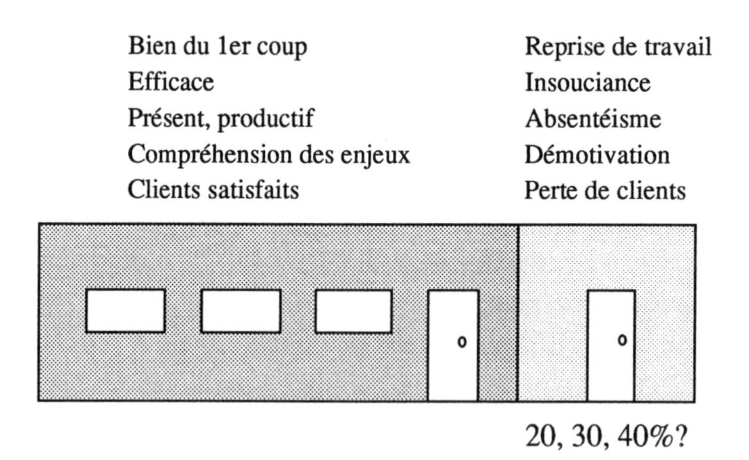

Figure 4

Puisque l'entreprise « productive » et celle « fantôme » se côtoient sous le même toit, leurs frontières ne sont pas évidentes.

C'est un secret de polichinelle que toute organisation atteint rarement un rendement à 100 p. cent de sa capacité. Sans l'avouer ouvertement, il est implicitement reconnu qu'un important pourcentage des efforts de productivité sont perdus. Cette proportion qu'on a appelée l'entreprise fantôme, peut atteindre 40 p. cent du chiffre d'affaires selon une estimation du ministère de l'Industrie et du Commerce du Québec faite en 1986. Un cadre dans une usine de la région de Montréal a avoué que son service de support à la production avait une productivité de seulement 25 à 30 p. cent à cause d'une *guerre de clochers* au sein de son organisation.

Le cercle vicieux de la nonchalance

La qualité se détériore insidieusement
La productivité diminue (il faut reprendre le travail mal fait)
Les coûts de production augmentent
Les budgets deviennent insuffisants
La rentabilité disparaît
Le prix de vente augmente
Les ventes baissent; la part du marché diminue
Les tensions s'accentuent
Le moral des *troupes* fléchit...
Le niveau de qualité baisse
La productivité diminue....

C'est le cercle vicieux, l'étouffement, la mort lente de l'organisation. Voilà un tableau familier. Combien d'entreprises sont tombées dans la sclérose de la nonchalance?

Il est étonnant de constater à quel point les gestionnaires ferment les yeux sur des situations tout à fait inacceptables. Les signaux d'alarmes semblent débranchés. Les dirigeants sont occupés en réunion, en congrès, au golf peut-être. Puis, arrive le désastre. On s'apitoie. On accuse. On puise dans la boîte aux excuses : les taux d'intérêts élevés, le libre-échange..., le cercle vicieux, quoi !

Le cercle vicieux de la nonchalance est illustré dans la figure suivante :

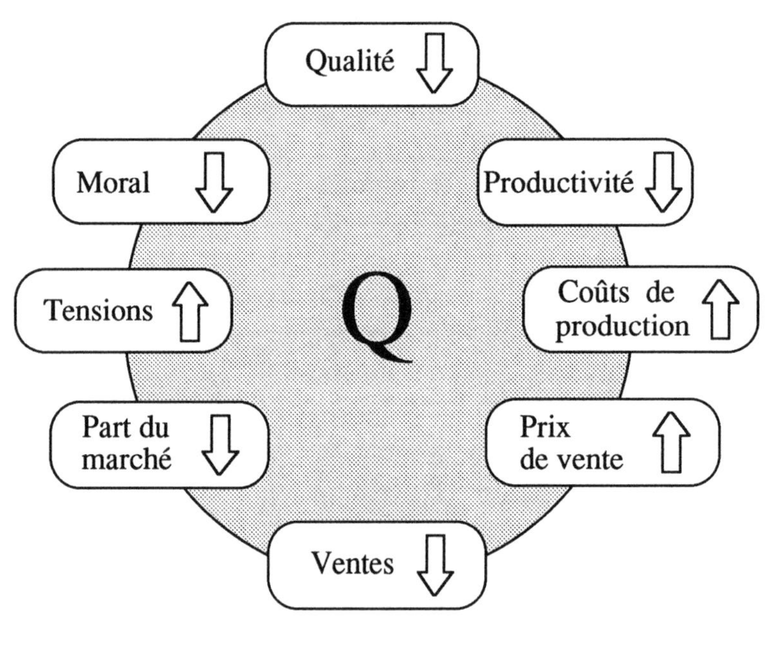

Figure 5

Voilà le virus de la non-qualité qui effrite insidieusement l'efficacité d'une entreprise et ronge par le fait même ses profits.

Les manquements à la qualité ne sont pas toujours apparents. Ils sont même parfois soigneusement camouflés par le personnel d'exploitation pour éviter les réprimandes.

Dans une organisation sans but lucratif, le cercle vicieux de la nonchalance contient des éléments tout aussi importants que dans les entreprises commerciales :

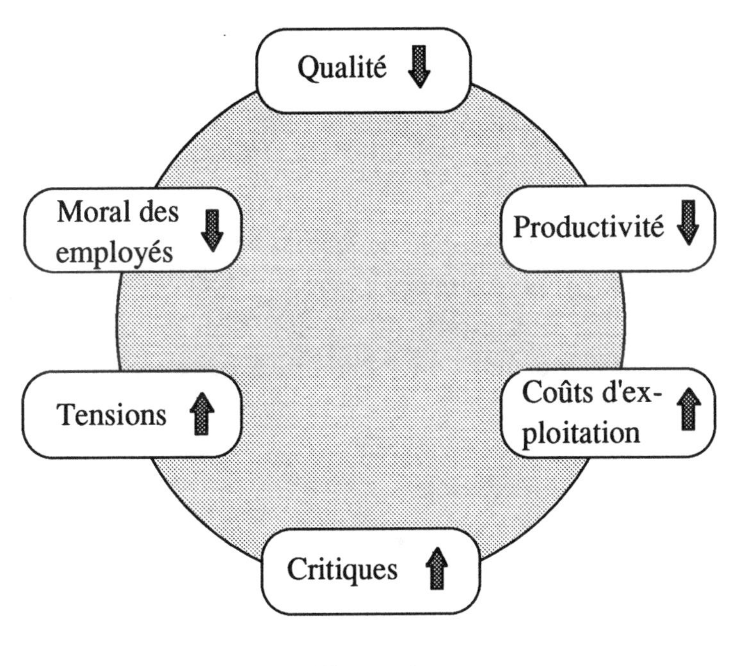

Figure 6

La qualité se détériore insidieusement
La productivité diminue (il faut reprendre le travail mal fait)
Les coûts d'exploitation augmentent

Les budgets deviennent insuffisants
Les critiques augmentent
Les tensions s'accentuent
Le moral des *troupes* fléchit...
Le niveau de qualité baisse
La productivité diminue....

Pour illustrer le cercle vicieux de la nonchalance dans une organisation à but non lucratif, examinons l'incident suivant, une histoire vécue parmi des milliers d'autres.

Dans une société canadienne du secteur para-gouvernemental, un service possède une flotte de cinq véhicules loués. Un usager rapporte à la préposée qu'un pare-brise est fêlé. Celle-ci fait appel à un service mobile de remplacement. Le technicien se présente, un commis lui remet le jeu de clés d'un véhicule. Sans plus, il remplace le pare-brise du véhicule correspondant au jeu de clés remis par le commis. Le pare-brise fissuré était celui d'un autre véhicule semblable... Deux factures de réparation ont dû finalement être payées : l'une pour un pare-brise brisé, l'autre pour un pare-brise impeccable! L'incident a été soigneusement camouflé. Il n'y eut aucune réprimande. Aucune correction n'a été apportée par la suite dans les méthodes de travail.

Dans certains services gouvernementaux, le cercle vicieux de la nonchalance s'est infiltré comme un virus. L'efficacité semble un mot banni du vocabulaire courant : “ Notre raison d'être est de fonctionner : nous sommes des fonctionnaires ! ” entendons-nous parfois. Dans un tel contexte, la mise en place de la qualité totale rencontre des résistances quasi-infranchissables, à moins qu'une crise majeure vienne forcer le système à changer.

Le cercle vertueux de l'amélioration

Opposé au cercle vicieux de la nonchalance, le cercle vertueux de l'amélioration a ses « flèches » inversées :

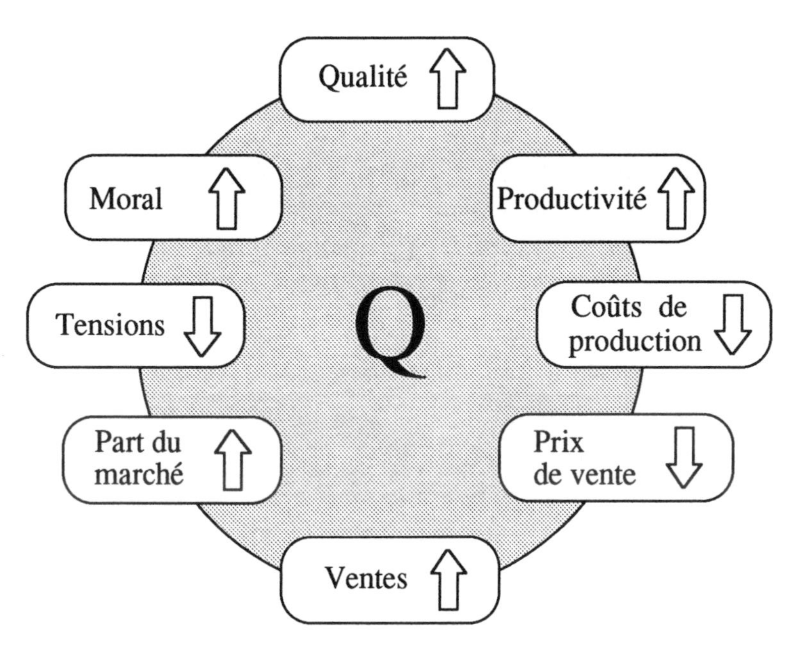

Figure 7

La qualité s'améliore
La productivité augmente
Les coûts de production diminuent
Les budgets suffisent
La rentabilité ne se dément pas
Le prix de vente baisse ou demeure stable
Les ventes augmentent

La part du marché augmente
Les tensions disparaissent
Le moral est meilleur...
La qualité s'améliore
La productivité augmente...

C'est le cercle vertueux, la croissance de l'organisation, l'objectif stratégique le plus souhaité. Les ressources humaines sont mobilisées en pleine connaissance des enjeux d'affaires. Des techniques permettent de connaître le niveau de qualité et de prévenir tout manquement. Tous les services de l'entreprise apportent leur contribution. La qualité de service s'améliore sans cesse : c'est le cercle vertueux!

Pour illustrer le cercle vertueux de l'amélioration, voici l'exemple d'une entreprise qui a su intégrer avantageusement les principes de la qualité totale.

Depuis que les 90 copropriétaires s'étaient installés dans un nouveau développement domiciliaire de l'Île des Soeurs, en banlieue de Montréal, trois entrepreneurs différents avaient obtenu des contrats de déneigement. Après le premier hiver, il paraissait clair qu'un entrepreneur-artisan arrivait sur les lieux moins rapidement que les autres après une tempête et « tournait les coins ronds ». L'année suivante, deux seulement étaient en concurrence. La troisième année, un seul a été retenu sans pratiquement aucune concertation entre les administrateurs des quatorze modules indépendants du complexe.

Malgré qu'il soit demeuré le seul en lice, cet entrepreneur n'a jamais cessé d'améliorer ses méthodes de travail et son temps de réaction après une tempête de neige. Depuis le premier contrat, il a considérablement amélioré son outillage. Il possède maintenant trois camions légers équipés de charrues articulées avec même une flexion au centre! Ses prix ne sont pourtant pas les meilleurs, mais son service est excellent! Voilà une entreprise qui, parce qu'elle n'a jamais cessé de s'améliorer, s'est taillé la part du lion....

Des centaines de petites entreprises de services connaissent une progression constante grâce à l'intégration du cercle vertueux de l'amélioration dans leur mode de fonctionnement. L'exemple de succès du distributeur de matériel électrique québécois Guillevin International est frappant. De grossiste-détaillant *de quartier*, cette entreprise s'est hissée au rang de commerce international en quelques années.

La chaîne québécoise de quincailliers RONA est un autre exemple d'entreprises lancées dans le cercle vertueux de l'amélioration.

Au plan des services d'ingénierie, la société montréalaise SNC a su s'imposer par sa compétence dans le monde entier en se mesurant à des consortiums internationaux et à de grands maîtres d'oeuvre comme la société américaine Bechtel. Sans une recherche constante de développement de son expertise pour dépasser les attentes de ses clients, voire les enchanter, et une réelle volonté d'améliorer ses compétences et l'efficacité de son organisation, cette entreprise n'aurait pu percer le milieu des grands projets, même avec les meilleurs contacts politiques. Cette organisation a appris à mobiliser son personnel vers l'excellence. Elle a même réussi à *avaler* sa concurrente Lavalin...

En milieu gouvernemental, comme dans toute entreprise sans but lucratif, le cercle vertueux de l'amélioration a des effets tout aussi bénéfiques.

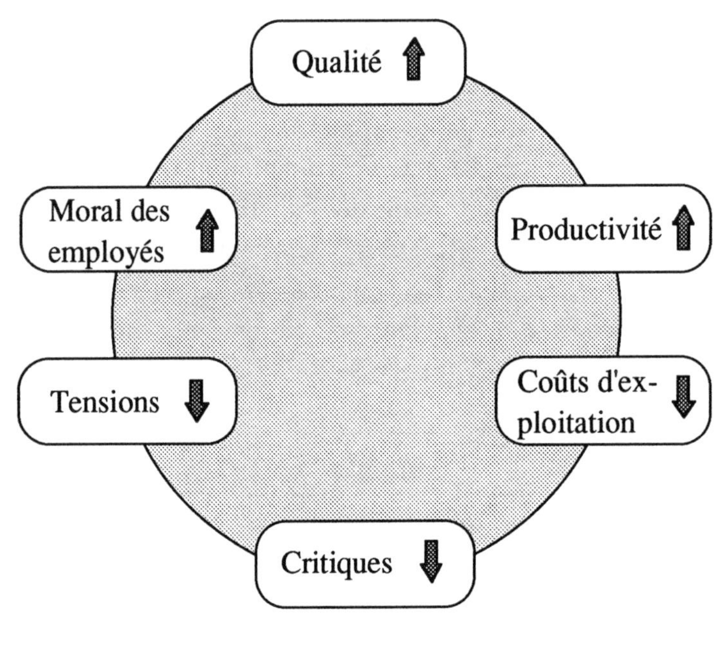

Figure 8

La qualité s'améliore
La productivité augmente
Les coûts d'exploitation diminuent
Les budgets suffisent
Les critiques se taisent
Les tensions disparaissent
Le moral est meilleur...
La qualité s'améliore
La productivité augmente....

Le cercle vertueux de l'amélioration est-il utopique dans une entreprise de services, en milieu gouvernemental ? Notre réponse est spontanée : non ! La qualité totale y est possible.

Dans les services publics, la Florida Light and Power est devenue, ces dernières années, un modèle d'efficacité et de qualité de service. Un programme d'amélioration continue, réalisé en mobilisant la créativité de tous les employés, a propulsé l'entreprise vers des sommets d'excellence. Hydro-Québec tente de l'imiter...

La qualité totale dans les milieux gouvernementaux est possible. Au Québec, des efforts considérables sont déployés avec succès. En 1988, la Régie des rentes du Québec a investi quelque 125 000 dollars dans un programme d'amélioration de la qualité. Les économies réalisées ont été estimées à près de deux millions de dollars en évitant les erreurs et les frais d'administration afférents dans l'émission des chèques de prestations. Quel excellent rendement sur l'investissement !

Dans plusieurs ministères et organismes fédéraux, la qualité totale s'articule lentement. Le programme *Fonction publique 2000* s'ajoute aux pressions exercées par le Conseil du trésor, laissant le libre choix aux divers services de trouver les fournisseurs les plus avantageux au lieu de transiger uniquement au sein de l'appareil gouvernemental. C'est ainsi que le *Programme de formation linguistique* et le *Service de l'imprimerie canadien* se sont vu ébranlés par les nouvelles politiques de rentabilité et d'efficacité du gouvernement.

Pour d'autres organismes, le mécontentement généralisé de la clientèle ou le constat, par l'observation d'indicateurs de qualité et de rendement, d'une situation inacceptable, ont forcé les directions à prendre le *virage qualité totale.* Emploi et Immigration Canada a emboîté le pas quand on a constaté des coûts de près de 200 000 $ pour traiter chacun des cas d'*illégaux* !

Au ministère québécois du Loisir, Chasse et Pêche, la direction a réalisé qu'il fallait près d'un an pour faire approuver de nouveaux règlements. Au moment de leur sortie, les nouvelles règles étaient souvent devenues désuètes. Dans la Réserve faunique du Mont-Tremblant, les gardiens ne savaient plus quand et sur quelles routes ils devaient mettre ou retirer les barrières. La confusion régnait. Un programme de *qualité totale* a permis d'aligner toutes les préoccupations sur les attentes du public tout en assurant le respect des politiques établies par le gouvernement.

Au ministère des Approvisionnements et Services du Québec, le niveau de satisfaction de leur clientèle (d'autres ministères ou organismes gouvernementaux) est vérifié continuellement dans 25 p. cent des transactions. Un rapport est circulé parmi les employés. Des indices de qualité de service, représentés par des histogrammes colorés, définissent le *fil conducteur* de tout le programme *qualité totale* au sein du MAS.

Chapitre 4

Les conditions et modalités d'implantation de la qualité totale

À l'origine de la plupart des entreprises, un entrepreneur ambitieux, très connaissant dans son domaine, donne le ton et le tempo à l'organisation. L'entreprise grandit. Le dirigeant ne peut plus tout contrôler : la qualité du service se détériore. L'entrepreneur cherche à renforcer son contrôle. Les ressources humaines se rebiffent. La démobilisation s'installe.

Souvent, les cadres de direction réagissent aux manquements à la qualité seulement lorsque les plaintes des clients s'accumulent jusqu'à un point critique, ou que la rentabilité ait disparu. La panique s'installe. Toutes les techniques de contrôle de la qualité sont alors mises en oeuvre, souvent trop tard.

Dans les secteurs public et para-public, plusieurs grandes organisations ferment les yeux sur les nombreux accrocs à la qualité de service. Leurs gestionnaires semblent trop occupés à justifier et à protéger leurs fonctions au sein de l'organisation. La satisfaction de leur clientèle ne semble aucunement faire partie de leurs préoccupations. Les objectifs d'affaires y sont, la plupart du temps, flous ou méconnus. La prise de décision ne s'exerce qu'en période de crise. La nonchalance et l'indifférence engendrent les manquements répétés à la qualité du service. Ces situations de gestion constituent, chacune à leur façon, des barricades parfois difficiles à franchir dans la réalisation de la qualité totale.

Les dix conditions de mise en place de la qualité totale

La **première condition** de son implantation exige que le climat général favorise l'acceptation d'un processus d'amélioration. En situation de crise, lorsque l'*atmosphère* est tendue par un conflit de travail, les chances de réussite sont presque nulles. D'autre part, des relations employés - cadres de supervision teintées de confiance mutuelle à tous les niveaux représentent une terre beaucoup plus fertile à l'implantation de la qualité totale.

La **deuxième condition** consiste en un engagement total et inconditionnel de la plus haute direction à intégrer à toute l'organisation les principes de gestion intégrale de la qualité, *à donner elle-même l'exemple* de l'application des techniques, et à adopter les comportements qui découlent de ces principes. Trop souvent avons-nous vu une haute direction se dérober à ses engagements en déléguant purement et simplement le mandat de *faire de la qualité*. L'engagement de la direction doit être sincère et refléter les attitudes propres aux concepts de la qualité totale.

Une **troisième condition** de réussite exige un *porteur de flambeau* au sein de la haute direction, une personne prête à risquer sa carrière. Ce meneur a suffisamment d'influence pour faire bouger les choses mais réalise que le programme ne peut fonctionner tout seul. Il (elle) devient le catalyseur de tout le processus de transformation et d'intégration des concepts et des techniques de gestion de la qualité. Idéalement, le président lui-même s'affiche comme le *porte-étendard* du programme de qualité. Dans la pratique, il peut déléguer une part de ses responsabilités à un vice-président qui aurait droit de regard sur tous les secteurs.

La **quatrième condition** commande un énoncé de politique claire quant à la qualité de service recherchée. Des objectifs quantitatifs doivent cristalliser le désir d'améliorer le service. Chaque division, secteur ou service de l'entreprise énonce à son tour sa politique de qualité de service recherchée, toujours en termes quantitatifs, en détaillant sa contribution au plan global.

La **cinquième condition** commande un programme massif de formation des ressources humaines à tous les niveaux de l'organisation. Cette formation comprend à la fois des notions techniques et behavioristes. Les concepts de gestion de la qualité y sont enseignés. Les participants aux sessions de formation appliquent les notions dans des mises en situation, ils discutent de situations concrètes et de divers plans de redressement à travers des études de cas. Ils appliquent enfin les concepts appris par un engagement dans leur propre programme d'amélioration. Le même programme de formation est donné aux dirigeants, aux cadres intermédiaires et au personnel à l'exploitation, sans exception.

La **sixième condition** de réussite de la qualité totale exige implicitement que les employés utilisent ce qu'ils ont appris dans les sessions de formation et les intègrent à leurs activités de travail. Les cadres de supervision encouragent et favorisent l'application des concepts et techniques de gestion de la qualité au sein de leur unité.

Une **septième condition** prévoit que le processus d'amélioration s'échelonnera sur une longue période de temps. Les résultats de la démarche ne sont donc pas attendus dans un court délai. Bien sûr, la mobilisation générée par le programme de formation a des effets immédiats sur la motivation à améliorer la qualité des services. Mais le premier souffle doit être nourri et entretenu pendant une longue période de temps pour assurer la réussite de la démarche, par la mise sur pied d'*Équipes d'amélioration de la qualité.*

La **huitième condition** d'implantation de la qualité totale commande la concentration répétée de l'attention de toute l'organisation sur quatre points de mire :

1. la perception qu'ont les clients de la qualité du service
2. la perception qu'en ont les employés de l'entreprise
3. les méthodes et les procédés
4. l'attitude des employés.

Nous reviendrons sur ces quatre points de mire au chapitre 7 portant sur l'optimisation du processus client-fournisseur.

La **neuvième condition** exige l'acceptation par tous que des activités non essentielles pourront être supprimées. Cette condition ne reconnaît pas implicitement que des mises à pied seront effectuées. Elle pourra cependant commander une réorganisation ou de nouvelles affectations pour certaines personnes. Dans la majorité des entreprises où un programme de qualité totale a été mis en place, les économies réalisées ont servi, bien sûr, à augmenter la rentabilité des investissements des actionnaires, mais aussi à développer de nouveaux marchés donc, à créer des postes !

Enfin, la **dixième condition** de réussite de la qualité totale exige une approche rigoureusement structurée selon trois vecteurs :

1° **mobiliser** les ressources humaines vers l'excellence ;
2° **mesurer** la qualité en utilisant les techniques de détection et d'analyse des défaillances ;
3° **optimiser** le processus client-fournisseur.

Les trois vecteurs d'implantation de la Qualité Totale

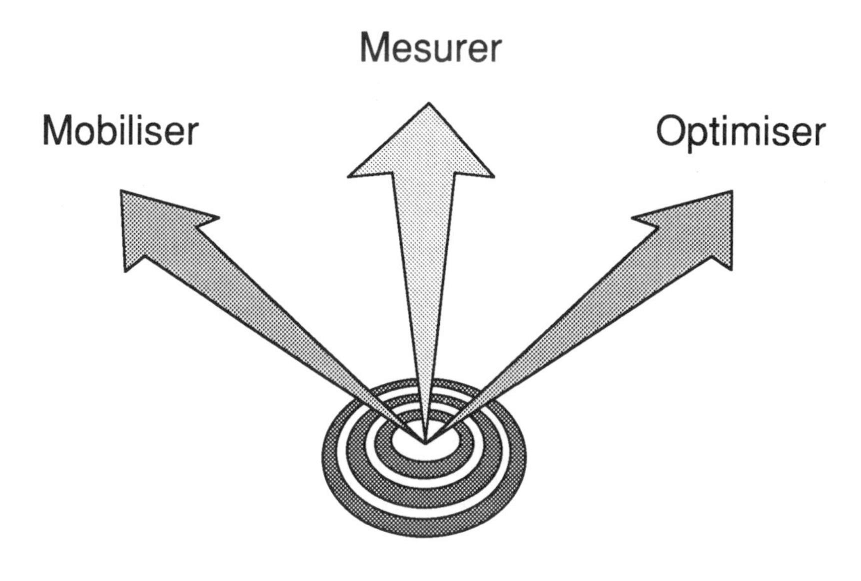

Figure 9

Dans les prochains chapitres, nous étudierons à fond les interventions selon ces trois vecteurs.

Les fondements de l'amélioration de la qualité

La démarche de base, inspirée du contrôle de la qualité tel que pratiqué en industrie, se déroule en quatre étapes :

1. La mauvaise qualité et ses conséquences sont quantifiées
2. La preuve du besoin d'intervenir est faite
3. La relation cause-effet est établie
4. Une action corrective en découle.

Sans une telle démarche rigoureuse, il apparaît inutile de continuer à souhaiter la qualité.

Dans la première étape, l'évaluation, la perception de la situation est au départ floue. Les erreurs et les plaintes prennent soit d'énormes proportions ou, au contraire, voient leur importance minimisée. Une perception juste s'impose. Certains paramètres sont facilement quantifiables comme le nombre d'erreurs commises et de plaintes des clients, les temps de réponse et d'attente...

Pour évaluer, et même quantifier les aspects en apparence non mesurables de la qualité des services, des indicateurs sont identifiés, des échelles de mesure subjective sont développées, des histogrammes sont tracés, des conclusions sont tirées (nous verrons en détail au chapitre 6, *Mesurer la qualité*, les *outils* utilisés).

Lorsqu'un certain nombre de données significatives ont été recueillies, le portrait de la qualité prend toutes ses formes et ses couleurs. Une décision d'intervenir ou non est alors prise. C'est le stade de la focalisation sur les conclusions tirées. Un plan d'analyse est préparé. Notons ici que la preuve du besoin d'intervenir est souvent tributaire de la volonté de la direction d'apporter des changements...

L'établissement des relations causes-effets devient alors nécessaire. Sans faire l'effort de remonter le courant pour trouver en amont les causes véritables de la non-qualité, les observations et les interventions se limitent aux effets observés en aval. Seule une recherche des sources véritables des plaintes des clients, des erreurs, des malentendus..., peut conduire à des changements profonds sur la voie de la qualité totale.

Il ne sert à rien d'analyser et de développer des stratégies si aucune action corrective n'est lancée. Trop souvent dans les entreprises, des situations de non-qualité sont signalées par le personnel d'exploitation sans que la direction y donne suite. Pire, pour préserver des chasses gardées et pour éviter de trop grands remous dans l'organisation, les plans d'action sont imprécis ou camouflés dans une vision trop globale de la situation. Les élans sont alors grandement freinés. Une démobilisation s'installe. Toute l'organisation perd une occasion de s'améliorer... Seule une volonté énergique de changement peut générer des actions correctives.

Contrôle ou stratégie de la qualité

Le contrôle de la qualité, comme les Américains l'ont perçu pendant plusieurs années, s'inspirait largement des concepts mis de l'avant au début du siècle par Frederick Taylor, baptisé le *père* de la gestion scientifique. Dans cette approche, il fallait définir des normes, mesurer les défauts, les écarts-types. La qualité était essentiellement un contrôle et une affaire de spécialistes. Le service de la qualité devait avoir un rôle de policier. Il fallait séparer *l'exécutant* de celui qui *contrôlait.* On a vu apparaître dans certaines entreprises de services des systèmes de contrôle de la qualité, des inspecteurs, des cartes de contrôle, etc. Un système de récompenses et de punitions couronnait habituellement, de façon coercitive, le programme d'évaluation.

L'approche japonaise aborde d'une façon fort différente le contrôle de la qualité. Selon la conception nippone, la responsabilité d'assurer la qualité revient au plus haut niveau de la direction des entreprises. Cette responsabilité est d'autre part partagée avec tous les acteurs de l'entreprise, sans exception. Dans cette démarche, il paraît plus important de savoir ce qui s'est passé et comment prévenir les manquements à la qualité avant qu'ils ne se produisent, que de savoir qui a commis l'erreur. La qualité repose sur la formation, sur l'information et sur l'autorité de réagir. Toute la démarche devient une question d'attitude, de comportement.

Afin de se tirer de l'image virtuelle de l'amélioration de la qualité, des interventions sont envisagées sous trois angles vers lesquels notre lunette d'approche visera avec acharnement :

1. la satisfaction des attentes de la clientèle
2. l'amélioration constante des méthodes
3. la perception de valeur et d'opportunité pour les employés.

Souvent, de profondes restructurations bouleversent les entreprises dans l'espoir de retrouver une rentabilité disparue. L'histoire démontre que neuf fois sur dix, il aurait mieux valu rechercher l'amélioration continue des méthodes en impliquant tous les employés plutôt que provoquer un tel chambardement. Le défi de la mobilisation générale devient tel que toutes les énergies doivent être canalisées pour améliorer les échanges d'information, les relations inter et intra-services, les méthodes de travail, les pratiques de gestion... Toute la culture de l'entreprise doit s'imprégner de cette mobilisation perpétuelle.

Nous l'avons déjà souligné, la recherche de la satisfaction de la clientèle est la base de toute la démarche. Les sondages d'opinion auprès du public se multiplient présentement. L'écoute aux besoins et aux attentes du client conduit à des ajustements bénéfiques dans les stratégies d'affaires de plusieurs organisations.

Si toutes les ressources humaines de l'entreprise perçoivent une valeur et une opportunité de croissance dans la recherche de l'excellence, le succès de la démarche est presqu'assuré. Les employés fournissent alors les efforts nécessaires à l'amélioration parce qu'ils y trouvent leur compte. Que l'enjeu se traduise par un boni associé aux résultats obtenus, ou par une reconnaissance devant les autres employés, ou encore par l'affichage public (photo de l'employé du mois), ou par une simple fierté de contribuer au succès de l'entreprise, l'employé peut y trouver un avantage personnel.

Les concepts classiques de gestion

Les grandes écoles de gestion et les livres traitant de la direction d'entreprise reprennent essentiellement cinq concepts fondamentaux.

Les cinq concepts fondamentaux de gestion :

1. La direction doit **planifier**, c'est-à-dire tracer la route pour atteindre les objectifs visés ;
2. La direction doit **organiser** les ressources nécessaires ;
3. La direction doit **diriger** les personnes et les motiver ;
4. La direction doit **contrôler**, mesurer les résultats et les comparer ;
5. La direction doit s'**assurer** que les résultats prévus sont atteints.

Ces concepts classiques de gestion sont largement inspirés du management scientifique élaboré par Frederick Taylor, au début du XXe siècle. Essentiellement, Taylor proposait que des unités de travail soient formées pour produire à grand volume plutôt que de procéder de façon artisanale.

Taylor suggérait aussi:

- de définir la responsabilité du chef de service
- de fractionner le travail en petites unités
- d'identifier le meilleur travailleur pour chaque tâche
- de s'assurer que le chef planifie, organise, contrôle... ses subalternes.

L'application des principes de Taylor a provoqué, en son temps, une spectaculaire augmentation de la productivité. Mais les artisans d'autrefois ont senti qu'on leur imposait dorénavant une méthode de travail, que leur créativité n'était plus utilisée, bref, qu'ils étaient devenus semblables à des machines à produire.

Les conséquences du management scientifique de Taylor, appliqué au pied de la lettre, sont désastreuses. Elles étouffent l'initiative des meneurs, au départ, créatifs. La motivation s'atténue. Le salaire devient la raison principale de l'emploi. Le sentiment d'appartenance faiblit. La qualité du travail n'a plus beaucoup d'attrait pour eux. Les objectifs de production et de rentabilité masquent totalement la raison d'être du travail, c'est-à-dire la satisfaction du client.

De grands philosophes et scientifiques se sont penchés sur la question pour tenter d'expliquer le désintéressement. Des réponses vagues ont été données, comme les carences dans les communications, l'absence d'objectifs partagés...

Il ne faut pas s'étonner du phénomène : **comment pouvons-nous espérer la participation active des ressources humaines au processus d'amélioration de la qualité après leur avoir dit, pendant tant d'années, *quoi faire, comment le faire* et *quand le faire* ?**

La lourdeur des grandes organisations représente un obstacle de taille à la réalisation de la qualité totale. Il y a quelque temps, le Protecteur du citoyen du Québec révélait que la fonction publique est de moins en moins au service de la population. Il avouait avoir reçu, durant les douze derniers mois, 22 000 plaintes de citoyens mécontents des services de l'un ou l'autre des nombreux services gouvernementaux provinciaux. Selon lui, l'insatisfaction provient avant tout de l'organisation même de la fonction publique, et non de la présumée mauvaise foi attribuée à tort aux fonctionnaires : " La majorité des fonctionnaires sont des personnes compétentes et dévouées. Contrairement à la croyance populaire, ils ne se traînent pas les pieds, " soulignait-il.

Le Protecteur du citoyen identifie plusieurs raisons pour expliquer la mauvaise qualité des services gouvernementaux :

- le manque de latitude laissée aux fonctionnaires en contact avec le public
- l'insuffisance de formation du personnel
- la lourdeur du processus de décision
- la rigidité des manuels d'opération
- les disparités régionales
- les délais indus.

Conscient de la lourdeur de l'appareil administratif de l'État, et de sa tendance naturelle à se justifier et à contourner habilement les remises en question, le Protecteur du citoyen évite de formuler des recommandations qui visent des changements précis au sein des organisations. Pour forcer les services gouvernementaux à adopter l'*approche client*, il recommande cependant de mesurer régulièrement le degré de satisfaction de la population et de faire rapport publiquement de cette évaluation.

Dans cette perspective, nous ne pouvons passer sous silence la publication journalière dans un grand quotidien de Montréal, il y a quelques années, des pannes d'électricité de la veille. L'énumération des pannes, souvent impressionnante, était toujours coiffée d'un dessin illustrant un pylône de ligne de transport d'électricité brisé. Ce puissant moyen de pression a provoqué une remise en question de la fiabilité du réseau de distribution électrique et de la qualité du service. La société hydro-électrique, publiquement mise sur la sellette, a dû réviser ses programmes d'assurance de la qualité...

Pour faire la preuve du besoin d'améliorer la qualité des services, il faut donc une bonne connaissance du niveau de satisfaction des clients, internes ou externes. Plusieurs entreprises résistent à cet exercice.

Les remises en question sont-elles douloureuses au point de les éviter ?

Pour assurer l'intégrité de l'exercice de mise en place de la qualité totale, une volonté sincère de changement est essentielle. Si les valeurs culturelles véhiculées par la direction ne sont pas alignées dans ce sens, les initiatives seront étouffées, déviées vers la façon traditionnelle de faire les choses. Tout se passe ainsi lorsque les cadres sentent leur *tour d'ivoire* menacée...

Au terme d'une tradition de nonchalance au sein du système d'enseignement secondaire de la région de Boston, un collectif d'industriels de la région a forcé l'administration à faire des devoirs pour corriger l'incompétence des *diplômés*, et à se tracer un plan d'action aligné sur des objectifs précis :

- réduction du nombre de décrocheurs de 5 p. cent par année
- l'embauche, à chaque année, de 5 p. cent de plus de diplômés dans des emplois à temps plein ou l'accès à une éducation supérieure.

Les douze attributs d'une révolution qualité

Dans son livre *Thriving On Chaos*, Tom Peters insiste pour un renversement total de l'organisation : les employés de la base doivent dorénavant être valorisés au plus haut point parce qu'ils sont en contact constant avec les clients.

Les cadres de direction ne sont plus là pour étendre leur pouvoir, pour *garnir* leurs secteurs de responsabilités. Ils doivent être à l'écoute des clients, de leurs attentes. Les cadres de supervision doivent être attentifs non plus simplement aux besoins de leurs employés mais aussi aux moindres suggestions qu'ils puissent formuler pour améliorer la qualité du service. Après tout, quotidiennement en relation avec la clientèle, ils sont les mieux placés pour faire des suggestions!

Selon Peters, douze attributs régissent une *révolution qualité* :

1. La direction est obsédée par la qualité ;
2. Un système de pilotage, c'est-à-dire un programme cohérent d'amélioration, est en place ;
3. La qualité est mesurée ;
4. La qualité est récompensée ;
5. Tout le personnel est formé aux techniques de mesure de la qualité ;
6. Des équipes composées de membres occupant des fonctions diverses sont impliquées dans le processus ;
7. Les moindres améliorations sont reconnues et valorisées ;
8. Les incitatifs à l'amélioration sont sans cesse renouvelés ;
9. Une structure organisationnelle parallèle voit à améliorer la qualité des services ;
10. Tous ont un rôle à jouer : les fournisseurs, les distributeurs et même les clients ;
11. Les coûts diminuent quand la qualité s'améliore ;
12. L'amélioration de la qualité est un éternel recommencement.

Voilà des concepts à retenir pour guider le gestionnaire vers une nouvelle philosophie de gestion.

Chapitre 5

Mobiliser les ressources humaines vers l'excellence

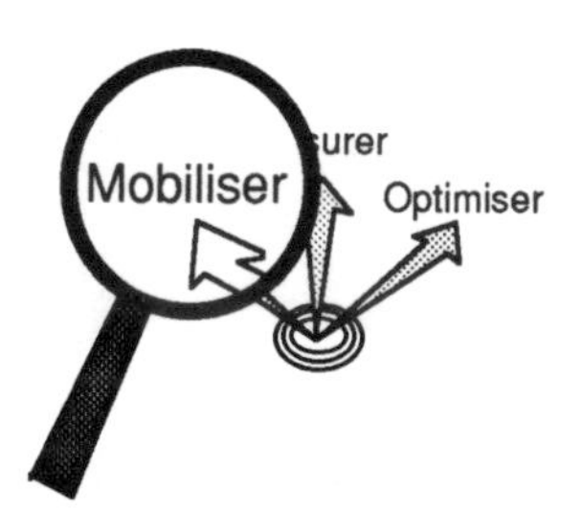

Voulant éviter les techniques de gestion piégées, comme la gestion par objectifs imposés par les cadres de direction, la budgétisation à base zéro, et autres techniques, la direction décide de partager les enjeux d'affaires avec ses ressources humaines devenues des **partenaires** dans l'atteinte des objectifs stratégiques de l'entreprise. Les faits sont étalés : ce que le client voulait, ce qu'il a obtenu, ce que l'entreprise lui a livré, ou ce que des concurrents lui ont livré. La preuve du besoin d'intervenir est faite.

Suite à l'étalement des enjeux d'affaires, chaque cellule de l'entreprise prend conscience de sa part de responsabilité.

L'information reçue par les groupes sur les attentes de la clientèle (interne ou externe) devient alors l'élément-clé de la mobilisation. Les données obtenues par sondage d'opinion auprès de la clientèle ou par une évaluation interne, sont présentées simplement : un histogramme montre les indicateurs de qualité et les niveaux atteints. Collectivement et individuellement, tous les partenaires de l'entreprise sont alors portés à corriger la nonchalance responsable de la non-qualité.

Les expériences passées démontrent que la prise de conscience ne peut déclencher à elle seule un changement à long terme. Il faut donner un encadrement à l'implication des ressources humaines. Il faut donc un système, un programme quasi-technique, et *un fil conducteur* qui canalise les préoccupations des employés. Sans ce fil conducteur, l'attention risque d'errer dans tous les sens.

La motivation

Un sondage auprès de 700 dirigeants d'entreprises, réalisé en 1986 par l'*American Society for Quality Control*, cherchait à connaître leur opinion sur les meilleures façons de réduire les coûts de production. Ce sondage a révélé que 43 p. cent d'entre eux soulignaient l'augmentation de la motivation des employés comme ayant le plus d'effet sur le prix de revient des produits et des services. 21 p. cent de ces dirigeants ont d'autre part mentionné l'amélioration de la qualité, c'est-à-dire la réduction des erreurs et des non-conformités aux normes, comme ayant le plus d'effet.

Un autre sondage d'opinion, réalisé par l'*ASQC* en 1988, démontrait que le facteur le plus influent sur la qualité était la motivation des employés !

La mobilisation des ressources humaines ne peut donc se soustraire à l'engagement personnel de chacun des employés dans la *stratégie qualité* de l'entreprise.

Les meilleures façons de réduire les coûts de production

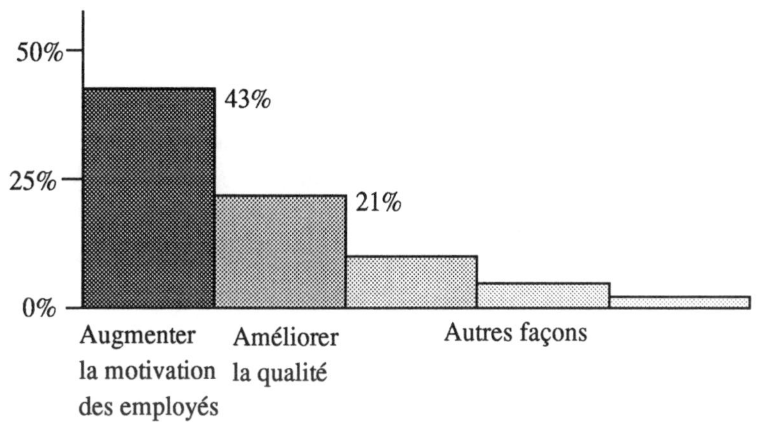

Figure 10

Lorsqu'une entreprise cherche à améliorer l'efficacité de son organisation afin de devenir plus concurrentielle ou pour se donner meilleure image, ou pour taire les critiques (dans le cas des services gouvernementaux, par exemple), la direction se tourne souvent vers diverses *techniques de motivation.*

Certaines méthodes sont excellentes. Un bon *vidéo*, un conférencier *motivateur*, des mises en situation de qualité de service, des études de cas, des visites d'entreprises..., ont des effets positifs, certes, mais à court terme. Ces techniques doivent donc s'inscrire dans une démarche globale par laquelle le climat de travail et le style même de gestion peuvent parfois devoir être remis en question.

Dans son livre *Le zéro mépris*, Hervé Sérieyx souligne l'impossibilité d'atteindre l'excellence en affaires sans renoncer aux attitudes méprisantes : des directions envers leurs employés, du personnel de l'entreprise envers les clients et autres. Il n'est pas étonnant de constater que la résultante du mépris des agents de maîtrise, des superviseurs, même celui de la haute direction, se traduise immanquablement par la démobilisation des ressources humaines.

Tel un relais dans une course olympique, le mépris se communique... au client! Ce dernier a alors l'impression de déranger, qu'on veut lui tirer le plus rapidement possible une commande, que l'entreprise recherche un profit rapide. Il ira ailleurs...

Dans le contexte de la recherche de qualité de service, nos observations des organisations nous ont permis de dresser la liste des indicatifs d'absence de motivation, résultant en une démobilisation des ressources humaines :

- perception de routine
- pas de vision d'avenir intéressant
- tâche perçue insignifiante
- aucune reconnaissance
- pas de défi à relever
- sentiment d'isolement
- résultats du travail méconnus
- non-confiance généralisée
- critiques nombreuses
- gestion autocrate
- sécurité menacée
- environnement rebutant.

A l'opposé, il est tout aussi possible de dresser une liste des indicatifs de motivation qui se traduisent généralement par des attitudes et des comportements positifs face à la tâche et au client :

- ardeur au travail
- dépassement des heures normales
- enthousiasme
- créativité
- innovation
- intégrité
- loyauté
- assiduité
- ponctualité
- recherche de l'amélioration.

Les sommets d'excellence atteints chez B-Sol, une société d'ingénierie des sols de la Côte Nord (lauréat d'un Mercure en 1991), à la Coopérative Agro-alimentaire du Saguenay-Lac-St-Jean, Nutrinor (lauréat d'un Mercure en 1988), chez SNC, une autre société d'ingénierie d'envergure internationale (qui a fait l'acquisition de sa grande rivale, Lavalin, en 1991), la chaîne de quincailliers RONA, sont les témoignages d'équipes d'employés motivés et innovateurs.

Nous inspirant du secteur manufacturier, prenons exemple sur Prévost Car de Sainte-Claire au sud de Québec, qui a réussi à déclasser des grands fabricants d'autocars comme GM, MCI et Bluebird pour devenir un leader incontestable sur le marché nord-américain. Les employés de Prévost sont motivés parce qu'ils se sentent impliqués et même partenaires dans la réalisation des objectifs *qualité* de l'entreprise. La direction de Prévost Car a su mobiliser de multiples façons ses ressources humaines.

Voici un autre exemple d'implication des ressources humaines dans les enjeux d'affaires. Il n'est pas rare que la direction des ventes de la division du transport en commun de Bombardier à La Pocatière invite des clients potentiels à visiter l'usine pour leur montrer la façon dont les employés s'y prennent pour *incorporer* la qualité à la fabrication des voitures de transport. Les ouvriers et ouvrières sont fiers d'en faire la démonstration dans une usine propre et bien rangée !

Est-il possible de réussir à mobiliser de la même façon les ressources humaines d'une entreprise de services, celles d'un ministère ou d'un organisme gouvernemental? La réponse est oui. Les exemples se font de plus en plus nombreux. En appliquant le style de gestion pratiqué dans leur entreprise, quatre cadres d'IBM à Bromont ont eu un tel succès en exploitant une franchise de restaurant Pacini à Granby que cet établissement est devenu un modèle pour toute la chaîne de restaurants. La Régie des rentes du Québec, la Commission des normes du travail, le ministère des Approvisionnements, celui des Loisir, Chasse et Pêche et la Société d'assurance automobile du Québec font des efforts louables en ce sens. Le chemin de la qualité semble plus long à parcourir au sein de l'appareil gouvernemental à cause de traditions difficiles à changer et de la très grande sécurité d'emploi qui y prévaut.

Aucun service étatique, quelle que soit sa taille, ne peut se permettre de se soustraire à un climat favorable à la motivation de ses employés : quelles raisons, par exemple, pourrait-on invoquer pour excuser le mépris envers les employés qui y travaillent ? Un conflit de travail à la Société canadienne des postes en 1991, a fait ressortir le style de gestion archaïque qu'on y pratique : les employés devaient rendre des comptes à leurs supérieurs du nombre de visites quotidiennes aux cabinets d'aisance. À sa défense, la direction dit qu'il y aurait eu des abus... Voilà des signes très superficiels. Sous-jacent à ces manifestations extérieures se cache... le mépris.

Le défi pour les dirigeants d'entreprises est de concilier les objectifs personnels des employés avec ceux de l'entreprise; d'assurer la compatibilité entre les ambitions personnelles et les possibilités au sein de l'organisation, de voir à l'épanouissement de leurs ressources humaines dans des réalisations bénéfiques pour l'entreprise et pour l'employé. Concilier les objectifs personnels avec ceux de l'entreprise, est-ce un objectif si difficile à atteindre dans nos sociétés bien structurées ? Non, à la condition de porter le moindrement attention aux aspirations des employés et de dialoguer avec eux ouvertement, franchement, honnêtement.

La motivation à bien faire le travail fait appel aux valeurs propres à chacun. Elle repose sur la satisfaction de besoins bien personnels de chaque employé. La motivation apparaît donc égocentrique. Elle porte aussi sur la croyance qu'il (l'employé) tirera un avantage de sa situation de travail. Enfin, la motivation repose sur des attentes en rapport avec des intérêts de chacun pour se réaliser dans son domaine, pour accéder à des postes de direction...

La qualité totale peut représenter une occasion de réalisation personnelle, de perfectionnement, d'épanouissement. Si tel est le cas, l'enthousiasme ne manque pas. Concrétiser un projet d'ordre pratique ne motive pas nécessairement : construire sa propre maison parce qu'il faut un toit au plus tôt pour s'abriter n'est pas motivant en soi. Ce qui peut l'être cependant, c'est la réalisation d'un projet unique, qu'on est fier de montrer. La motivation prend alors tout son sens.

Les préjugés populaires sur la motivation

Quelles idées préconçues nourrissons-nous parfois dans nos milieux de travail au sujet de la motivation : “ Une augmentation de salaire les motivera. ” Combien de fois nous prenons-nous nous-mêmes au jeu : “ Si j'avais une voiture fournie par la compagnie, comme le patron et les vendeurs, je serais heureux. ”

La motivation ne trouve pas son sens dans les considérations matérielles. Elle se situe plutôt dans les échelons moyens et supérieurs de la hiérarchie des besoins élaborée par le psychologue industriel Abraham Maslow.

Rappelons les cinq niveaux de besoins identifiés par Maslow :

1er niveau : *Les besoins physiologiques*
Considérations matérielles : traitement salarial, avantages sociaux, environnement, fournitures, etc.

2e niveau : *Les besoins de sécurité*
Se sentir raisonnablement à l'abri des menaces et des dangers. Vivre sans peur dans un environnement sûr, ordonné, stable. Être protégé contre la pauvreté, les maladies.

3e niveau : *Les besoins sociaux*
Avoir des contacts enrichissants avec les gens du milieu. Faire partie intégrante de groupes où on se sent bien accueilli. Ne pas se sentir seul, rejeté, étranger, oublié. Donner et recevoir de l'affection, de l'amitié, de l'amour.

4e niveau : *Les besoins d'estime et de reconnaissance*

Estime de soi par soi : le besoin de se sentir important, de s'aimer soi-même, d'être fier de ce qu'on est et de ce qu'on fait ; le besoin de se sentir fort, compétent, capable de réussir des choses difficiles.

Estime de soi par les autres : le besoin d'être respecté et admiré par les autres; le besoin d'avoir un certain prestige, une bonne réputation, un statut social reconnu ; le besoin d'être félicité, apprécié.

5e niveau : *le besoin de se réaliser*

Utiliser et mettre à contribution tous les éléments de notre personnalité : intelligence, aptitudes et habilités diverses ; grandir, s'améliorer de toutes les façons possibles.

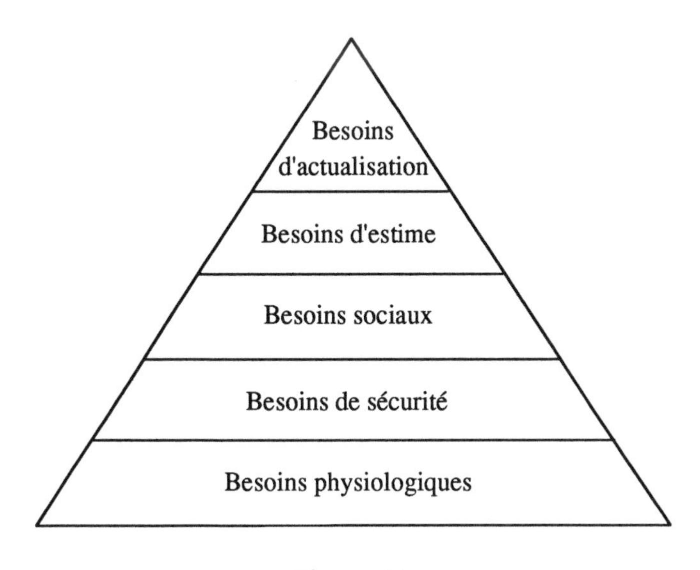

Figure 11

À la rigueur, on pourrait attribuer un pouvoir de motivation à chaque niveau de besoins à satisfaire dans la pyramide de Maslow. Ces pouvoirs ne sont cependant pas uniformes chez tous les travailleurs. Ils croissent avec le niveau de maturité des personnes.

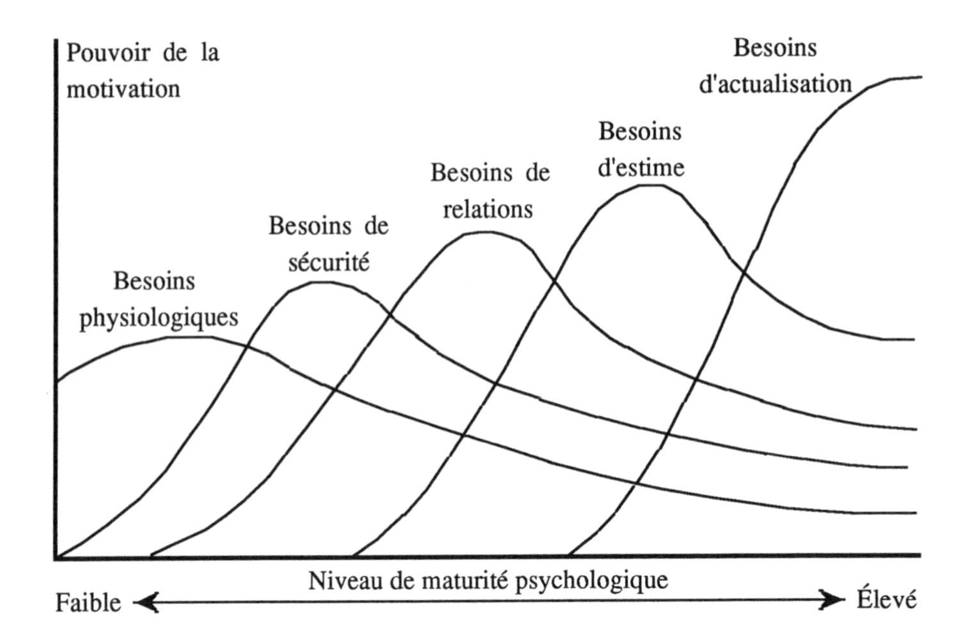

Figure 12

Au-delà des **besoins** personnels à satisfaire, la motivation tire son énergie de **croyances**, c'est-à-dire de convictions de réalisation d'un contexte favorable à l'épanouissement personnel, et d'**attentes**, c'est-à-dire d'images de possibilités d'actualisation de soi.

Ces trois forces conjuguées définissent l'ardeur et l'engagement des ressources humaines dans leur milieu.

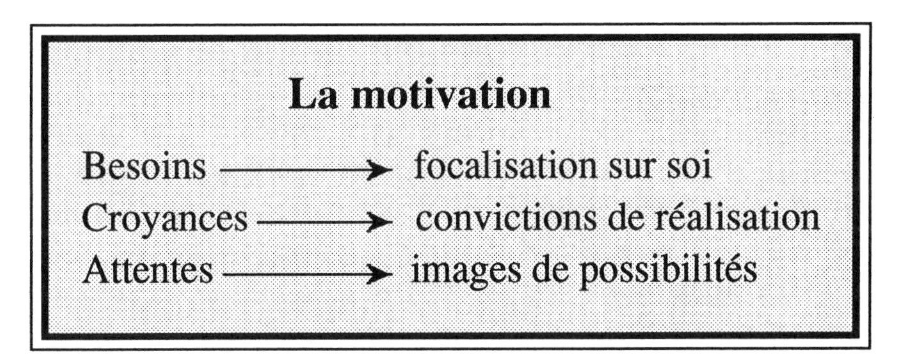

Figure 13

Malgré que la motivation s'articule de façon très personnelle, le milieu de travail contribue grandement à la *nourrir*.

Dans un article de la livraison de décembre 1985 de la revue *Productividées* (du défunt Office de productivité du Québec), Pierre Dubois et Michel Lemieux nous invitent à une réflexion intéressante:

Pourquoi ne pas traiter les gens... comme des machines!

- *les machines sont placées dans un environnement adapté afin d'optimiser leur fonctionnement ;*
- *nous sommes à leur écoute et le moindre bruit suspect de leur part suffit à nous alerter;*
- *des spécialistes veillent à leur entretien et à leur bon fonctionnement ;*
- *si elles fonctionnent en groupe, les problèmes de compatibilité sont enrayés au départ ;*
- *leurs limites de tolérance sont respectées.*

Toutes ces attentions confirment l'importance attachée à leur efficacité comme moyen d'atteindre des objectifs opérationnels de l'entreprise: on s'assure que rien ne nuit à leur rendement afin que leur participation soit à la mesure de leurs capacités. Pourquoi ne pas accorder la même attention aux ressources humaines et leur procurer un milieu favorable à une productivité optimale ? Ce milieu les encouragerait aussi à exploiter leurs facultés d'expression et de jugement afin de concrétiser leur participation.

Les préjugés véhiculés par les théories classiques de gestion

L'observation de certaines organisations révèle parfois des perceptions étonnantes des employés qui se traduisent par des préjugés évidents. Ces préjugés découlent des théories classiques de gestion, et se profilent dans l'ombre des enseignements de Taylor :

1. les besoins de l'employé sont essentiellement primaires (premiers échelons de la pyramide de Maslow) ;
2. l'employé préfère un travail simple et répétitif, qui demande peu d'effort ;
3. il préfère se faire dire quoi faire et comment le faire et évite alors d'être réprimandé ;
4. il n'a pas d'ambition et ne désire pas vraiment progresser vers des postes qui demandent plus de responsabilités ;
5. son niveau d'instruction est faible et son intelligence moyenne ;
6. il est de nature paresseuse et ne s'intéresse pas aux objectifs de l'organisation; si on veut en tirer quelque chose, il faut le surveiller, le diriger, le punir ou le récompenser ;
7. ses initiatives, sa créativité (s'il en a...), ne lui servent qu'à trouver des moyens de travailler moins et d'obtenir plus.

Face à l'augmentation du niveau de scolarité des ressources humaines, à leur ouverture d'esprit, et à leur meilleure connaissance des conditions de travail dans d'autres organisations, la révision de certaines de nos perceptions s'impose:

1. les besoins de l'employé sont nombreux et complexes et s'étendent sur toute la pyramide de Maslow pour inclure des facteurs comme l'estime de soi, le sentiment de compétence et d'importance, le développement personnel, l'intégration dans une équipe ;
2. l'employé recherche un travail intéressant, qui comporte des activités variées et complexes, et où il jouit d'une certaine autonomie ;
3. l'employé désire participer activement aux décisions qui touchent la nature et l'organisation du travail, l'environnement dans lequel il évolue ; il est capable d'assumer des responsabilités et de prendre des décisions ;
4. il est intelligent et possède autant d'imagination, de créativité et d'initiative que les membres de la direction, et il ne demande pas mieux que de mettre ses talents au service de l'entreprise et de ses collègues ;
5. dans des conditions favorables, il peut se motiver et se contrôler lui-même, agir en adulte consciencieux.

“ Voilà du gros bon sens ! ” direz-vous. De nombreux chefs d'entreprises n'ont cependant pas encore compris et intégré ces notions. Il est étonnant de retrouver encore ces préjugés dans bon nombre d'organisations, petites et moyennes entreprises aussi bien que grandes sociétés, et dans les organismes publics et para-publics. Puisque la mise en place de la qualité totale commande une participation de toutes les ressources humaines, de profonds changements sont à prévoir...

Peut-on insuffler, *injecter* à un employé l'enthousiasme pour qu'il fasse du premier coup un bon travail ? Oui, peut-être à court terme. Mais, beaucoup plus qu'un beau discours, la conciliation de ses objectifs personnels avec ceux de l'entreprise, et le climat de gestion participative, peuvent y parvenir.

Satisfaction et motivation

Frederick Herzberg nous invite à distinguer deux séries de facteurs liés à l'ardeur au travail : ceux maintenant la satisfaction chez l'employé et ceux ayant un effet véritable sur sa motivation.

Les facteurs de maintien de la satisfaction sont ceux qui entretiennent le niveau actuel de *bonheur* au travail et qui l'empêchent d'être insatisfait. Ces facteurs sont au nombre de quatre, selon Herzberg :

1. les facteurs environnementaux - bruit, température, aménagement des locaux.... ;
2. la sécurité - sécurité d'emploi, politiques *sécurisantes* de l'entreprise ;
3. les facteurs économiques - salaire adéquat, avantages sociaux perçus comme satisfaisants ;
4. les facteurs sociaux - relations harmonieuses et agréables avec les collègues, avec la direction.

D'autre part, les facteurs de motivation, selon Herzberg sont ceux qui incitent l'employé à se surpasser. Il s'agit des caractéristiques de son engagement personnel dans son milieu de travail et des avantages qu'il en retire. Ces facteurs sont aussi au nombre de quatre.

Les facteurs de motivation, selon Herzberg :

1. la participation - l'implication personnelle dans des projets intéressants dans le milieu de travail ;
2. l'accomplissement - la satisfaction du travail bien fait, la fierté associée à une réalisation exceptionnelle ;
3. la reconnaissance - gestes ou paroles des pairs, des supérieurs, d'un conjoint ou de personnes de l'extérieur, soulignant et célébrant les succès ;
4. la croissance - les possibilités de grandir, d'acquérir de nouvelles connaissances.

Pour se souvenir des quatre facteurs de motivation, pensons à jouer dans le P.A.R.C.

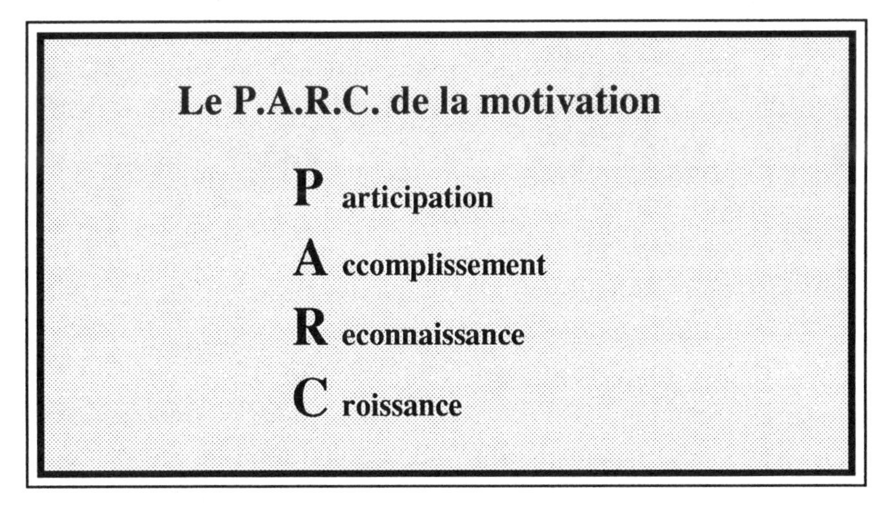

Figure 14

Herzberg souligne aussi que plus les facteurs de motivation deviennent présents et forts, moins l'employé accorde d'importance aux facteurs de maintien de la satisfaction.

Les relations de confiance avec la direction

D'après Rensis Likert de l'*Institute for Social Research* de l'Université du Michigan, il existe quatre types de *systèmes de confiance* de la direction envers ses employés :

1. aucune confiance n'est accordée aux subalternes ; ils ne participent donc pas à la prise de décision ;
2. la direction a une certaine confiance dans les subalternes mais la plupart des décisions sont prises en haut lieu ;
3. la direction fait grandement confiance aux subalternes mais pas totalement, de sorte qu'ils sont appelés à participer à des prises de décision sur des sujets spécifiques tandis que la haute direction les exclut des décisions d'ordre plus général ;
4. la direction a une confiance totale dans ses employés.

A l'heure de la contestation, les directions doivent réviser leurs perceptions. De nouveaux principes de gestion doivent maintenant régir les organisations :

1. la tâche de l'employé doit être assez *riche* pour lui permettre d'utiliser et de développer ses talents et son potentiel, de prendre des décisions, d'assumer des responsabilités réelles ;
2. tous les employés doivent être impliqués dans le processus de planification, d'organisation et de contrôle du travail ;
3. les communications doivent être ouvertes et franches entre tous les niveaux hiérarchiques, entre les employés eux-mêmes ;
4. les *protocoles*, les règles et procédures inutiles doivent être éliminés pour faire place à l'initiative personnelle et à la créativité ;
5. le travail en équipe, la cohésion des groupes, la prise de décisions en consensus doivent être encouragés ;

6. la motivation doit provenir aussi bien de facteurs intrinsèques (nature du travail) que de facteurs extrinsèques (politiques et pratiques de gestion et de rémunération) ;
7. le syndicat doit être perçu comme une force constructive capable de collaborer étroitement à la solution des problèmes techniques et humains rencontrés dans le milieu de travail.

Les principes de management du Dr William Ouchi

Dans son livre *Le management selon la théorie Z*, le Dr Ouchi énonce sept principes qui, à notre avis, répondent le mieux aux impératifs de gestion moderne des ressources humaines. Ces principes reflètent bien la mise en place de P.A.R.C. an sein des entreprises :

1. il faut humaniser les conditions de travail, non seulement pour augmenter la productivité et les profits de l'entreprise, mais aussi pour augmenter l'estime de soi des employés ;
2. le processus de décision est typiquement participatif et à la recherche de consensus ;
3. les habiletés dans les communications et les relations interpersonnelles sont valorisées ;
4. l'autonomie de chacun dans l'organisation de son travail doit primer, tout en tenant compte du fonctionnement du groupe ;
5. la sécurité d'emploi n'est pas continuellement mise en jeu ;
6. il existe un climat général de confiance dans l'entreprise ;
7. le bien-être des subalternes et des employés en général est une préoccupation à tous les échelons de l'organisation.

Est-il possible d'intégrer les sept principes de management du Dr William Ouchi ? Oui, des entreprises l'ont réalisé: Shermag, Communications Tie, Kodak Canada, IBM, Hyundai, B-Sol, SNC...

Les pistes de mobilisation des ressources humaines

Comment peut-on impliquer les ressources humaines dans un programme d'amélioration de la qualité des services ? Voici quelques pistes identifiées par des dirigeants d'entreprises lors d'un séminaire de formation à l'université :

1. en partageant les enjeux d'affaires avec les employés ;
2. en les sensibilisant à la nécessité de gérer la qualité ;
3. en les consultant sur les objectifs du programme *qualité* ;
4. en leur enseignant les concepts et techniques de la qualité totale ;
5. en les invitant à participer à des *Équipes d'amélioration de la qualité* ;
6. en leur demandant d'identifier les situations de non-qualité;
7. en les impliquant dans l'analyse des causes et des effets ;
8. en les invitant à trouver des solutions aux problèmes ;
9. en les rendant responsables de l'implantation des solutions;
10. en leur demandant de vérifier les résultats des interventions ;
11. en leur démontrant l'engagement de la direction ;
12. en célébrant avec eux les succès.

Les Équipes d'amélioration de la qualité

Voici l'aboutissement de l'évolution nord-américaine des *groupes de travail* (Task Force), et des *cercles de qualité.* Les groupes de travail, mis en place par la direction pour étudier et résoudre des problèmes particuliers, sont bien connus. En situation d'urgence, ces groupes se présentent souvent comme la meilleure façon d'obtenir des changements rapides. Nous connaissons aussi les cercles de qualité qu'on dit responsables du miracle japonais dans les années 1960-80. Plusieurs tentatives de mise en place de cercles de qualité au Québec comme ailleurs, n'ont pas connu un grand succès. Les raisons sont nombreuses : lancement précipité, manque de formation des membres, soutien de la direction trop ténu, absence de suivi, étude imposée de problèmes spécifiques, etc.

Après avoir visité le Japon et étudié les différences culturelles entre l'Orient et l'Occident, il nous apparaît possible, par une forme adaptée des groupes que nous appelons *Équipes d'amélioration de la qualité*, de mobiliser les ressources humaines, de nourrir la motivation et d'atteindre les objectifs de qualité visés.

Ces *Équipes* sont formées surtout de volontaires, cadres ou personnel à l'exploitation, qui ont des intérêts communs et qui se réunissent à des intervalles réguliers pour revoir les méthodes de travail, analyser les problèmes (étudier les attentes de la clientèle interne ou externe), et formuler des recommandations à la haute direction.

Les *Équipes d'amélioration de la qualité* représentent un excellent moyen de « jouer dans le P.A.R.C. ». Dans l'optique d'une gestion participative, ces *Équipes* apparaissent comme une formule très intéressante.

Une *Équipe d'amélioration de la qualité*, c'est...

* un groupe de cinq à dix employés qui font généralement partie du même service ou secteur de l'organisation ;
* le groupe est composé surtout de volontaires, mais inclut aussi le chef de l'unité de travail et généralement un représentant de la direction (le coordonnateur du programme) ;

* les membres de l'*Équipe* partagent les mêmes préoccupations, à savoir : solutionner les problèmes de qualité du service dont l'unité est responsable, et les problèmes associés aux méthodes de travail dans cette unité ;
* les membres de l'*Équipe* reçoivent une formation sur les techniques de recueil et d'analyse des données, de recherche de solution de problèmes, de prise de décision et de présentation à la direction des suggestions de correctifs ;
* l'*Équipe* se réunit régulièrement à l'intérieur du cadre horaire habituel de travail, de façon générale une heure par semaine ;
* les réunions de l'*Équipe* sont animées par le chef de l'unité de travail mais aussi, et préférablement tour à tour, par chacun des membres ;
* l'*Équipe* établit, par consensus, ses priorités ;
* les membres de l'*Équipe* identifient les situations-problèmes, en font l'analyse, en recherchent les causes, trouvent des solutions et formulent les recommandations à la haute direction ;
* avec l'assentiment des supérieurs, l'*Équipe* implante les solutions proposées si elles se situent dans le cadre des responsabilités de l'unité administrative ;
* les membres de l'*Équipe* vérifient les résultats des améliorations ou des correctifs apportés.

Il n'y manque qu'un seul ingrédient : la volonté de la direction de les écouter... Le climat de travail doit donc être, au départ favorable.

Là où les cercles de qualité ont échoué, nous avons vu des *Équipes d'amélioration de la qualité* bien fonctionner. La raison principale étant la présence de la gérance au sein du groupe pour rappeler la volonté de la direction de voir des progrès se réaliser.

Le fonctionnement des *Équipes d'amélioration de la qualité* est régi par des règles simples :

a) les réunions se tiennent le plus régulièrement possible : toujours à la même heure, le même jour de la semaine, au même endroit ;
b) les réunions durent 60 minutes, pas plus longtemps ;
c) de façon générale, les mêmes personnes se réunissent semaine après semaine (sauf les personnes-ressources invitées qui peuvent n'être présentes qu'occasionnellement) ;
d) à la fin de chaque réunion, l'animateur fait une synthèse du chemin parcouru, des discussions et des conclusions tirées, et il résume les tâches qui ont pu être confiées à certains membres en préparation de la prochaine rencontre ;
e) un compte rendu de chaque réunion est préparé et des copies sont envoyées au coordonnateur du programme de Qualité Totale et à la direction du service concerné, et une copie du compte-rendu est affichée sur le babillard du service (près de la photo du groupe).

Les Comités *ad-hoc* libérés de la structure hiérarchique

Voici un concept intéressant qui a fait son apparition dans les organisations depuis quelque temps. Reconnaissant l'influence négative des barrières hiérarchiques sur le processus d'amélioration de la qualité des produits et des services, certaines directions d'entreprises donnent la liberté à quiconque identifie un problème de s'adjoindre les personnes ressources, peu importe leur rang, pour l'aider à trouver des solutions. Voilà l'éclatement le plus significatif des structures jamais vu !

Chaque projet doit préalablement, bien sûr, être soumis et approuvé par la direction. Cette contrainte ne représente pas d'obstacle important si les *règles du jeu* sont connues des employés. Par exemple, il n'est aucunement question de remettre en cause quelque clause que ce soit de la convention collective. Le salaire et les avantages sociaux ne peuvent non plus faire l'objet d'une étude par un comité ad-hoc. Seuls les problèmes traitant de la qualité du service à la clientèle ou du processus de travail peuvent être soumis.

Les demandes de mise sur pied d'un comité ad-hoc doivent être sommairement documentées avant d'être présentées. Chaque employé désireux de soumettre un projet prépare une demande à la direction en utilisant le formulaire apparaissant à la page suivante (figure 15).

Le concept des comités ad-hoc a été essayé avec succès chez le fabricant de produits pharmaceutiques Johnson & Johnson.

Au Québec, plusieurs comités ad-hoc ont été lancés par les employés de l'institution financière Trust Royal avant que des *Équipes d'amélioration de la qualité* prennent la relève au rythme de deux nouvelles équipes par semaine !

La mise en place de tels comités ne se fait habituellement pas sans heurter quelques susceptibilités. À voir certains de leurs employés étaler des erreurs administratives, des pratiques et des méthodes de travail non efficaces, et certaines aberrations de fonctionnement de l'unité de travail, les gestionnaires peuvent montrer leurs résistances...

C'est souvent le prix à payer pour changer les résultats...

LANCEMENT D'UN COMITÉ Ad-Hoc

Décrire clairement et brièvement le problème à résoudre

Impacts du problème sur la qualité du service à la clientèle ou sur les méthodes de travail (en termes quantitatif ou qualitatif)

Résultats prévus

Ressources requises

Étapes et échéancier prévus pour solutionner le problème

Figure 15

La clé de la mobilisation : la considération envers les employés

L'étude la plus marquante sur la productivité a été réalisée en 1947 chez General Electric. Dans les ateliers de production de cette firme américaine, la productivité a augmenté lorsqu'on a diffusé de la musique. Elle a de nouveau augmenté lorsqu'elle a été interrompue. Même phénomène pour l'éclairage qui a été augmenté, puis diminué. La conclusion de l'étude voulait que les employés augmentent leur productivité dans la mesure où la direction s'occupe d'eux.

Voici de bonnes leçons à tirer pour mobiliser les ressources humaines vers un processus d'amélioration continue de la qualité des services !

Chapitre 6

Mesurer la qualité

Les techniques de détection et d'analyse des défaillances

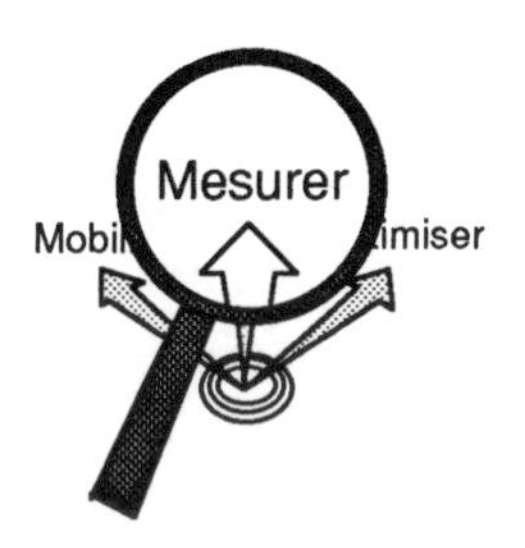

Voici une intervention tangible, concrète, factuelle. Il s'agit d'un ensemble de techniques pour mesurer le niveau de qualité, identifier les défaillances, analyser les causes et les effets et trouver des solutions.

Pour évaluer la qualité, il faut des paramètres à mesurer : un boulanger, par exemple, assure la qualité de sa production par l'utilisation d'ingrédients dont il connaît la qualité, par un mélange judicieux des matières premières et par une cuisson adéquate en température et durée. Des points de contrôle de la qualité et des normes à respecter régissent toute sa production.

Les indicateurs de qualité

Dans une entreprise de services, des indicateurs de qualité, situés à des points précis du processus client-fournisseur, signalent les manquements au niveau de service recherché.

Les indicateurs de qualité sont soumis à la technicité de l'organisation. Pour une entreprise de nettoyage de tapis et tentures, par exemple, des indices de qualité seront définis par le niveau de compétence des techniciens, par le rendement des machines-outils utilisées, par le degré de propreté atteint, par les attitudes et le comportement du personnel envers la clientèle, par le niveau de satisfaction des clients, etc. Pour une société d'assurances, des indicateurs de qualité seront dérivés du nombre d'erreurs commises, de la rapidité à émettre les nouvelles polices ou les chèques en paiement des réclamations, de la qualité de vie au travail des employés et, bien sûr, de la satisfaction des clients.

Du point de vue de la clientèle, les indicateurs doivent témoigner de la perception qu'ont les clients de la qualité du service et de l'organisation. Ces indicateurs peuvent être très concrets comme les délais de livraison. D'autres se référeront aux sentiments qu'éprouve la clientèle dans ses transactions avec l'entreprise et son personnel.

Tous les acteurs dans l'entreprise ont leur perception du niveau de qualité. Que cette vision soit dirigée dans le sens d'un bon service à la clientèle ou de l'organisation efficace du travail, des communications inter-personnelles ou autre, elle aura une influence certaine sur le comportement du personnel, sur les services rendus et sur la qualité totale.

Du point de vue des responsables de la planification stratégique, les gestionnaires ont leur propre vision de la qualité dans l'entreprise. Leur perception glisse souvent dans l'idéalisme. Tout semble rose, surtout si les profits sont intéressants (pour le moment...). Ou encore, la direction fait l'autruche, la tête dans le sable pour ne rien voir. Somme toute, les directions doivent, elles aussi, définir leurs indicateurs de qualité.

Puisque chaque indicateur de qualité représente un point de contrôle dans l'organisation ou dans le service rendu, des critères d'évaluation doivent être définis. Un indicateur de qualité pourrait, par exemple, pointer la façon dont les préposés répondent au téléphone. Une liste de critères pourrait être dressée, en consultation avec les préposés eux-mêmes :

- le ton de la voix (jovial, chaleureux, enthousiaste, etc.)
- le mot d'accueil (*bonjour*, *bon après-midi*, etc.)
- l'expression de l'identité de l'entreprise
- la rapidité de l'acheminement des appels
- la prise de message
- l'interlocuteur en attente
- le traitement des situations difficiles (clients mécontents...).

Pour chaque indicateur de qualité, un catalogue de repères peut être préparé. Il devient alors le recueil des repères-qualités. Il s'agit en somme de définir les caractéristiques spécifiques relatives à chaque indicateur de qualité, relatif à chaque activité.

La qualité se PREPARE

Au vrai sens du terme, la qualité se prépare. En misant sur l'amélioration des caractéristiques liées aux attentes des clients, comme nous l'avons exprimé plus avant, l'entreprise assure la satisfaction de sa clientèle et sa fidélité. La qualité doit donc être préparée avant que le service soit effectivement rendu.

Les caractéristiques, les *ingrédients* de la qualité de service, ce qui donne toute la **valeur** au service rendu, sont au nombre de sept, désignées sous le vocable PREPARE :

La qualité se PREPARE

P roduit

R apidité

E xactitude

P rix

A ttitude

R econnaissance

E nvironnement

Figure 16

Toute la qualité de service se joue donc dans ce tableau. Définissons chacun des éléments pour bien saisir leur portée.

Le produit

Quel que soit le service rendu, il y a toujours un objet, un geste tangible : c'est le produit.

Le service aux clients du Conseil canadien des normes (CCN) fournit des *renseignements* quant à la normalisation des produits. Les guichets automatiques donnent des *billets de banque* ou fournissent un *rapport de transaction* pour paiement de facture ou autre. Un restaurant sert des *repas.* Un club de yatch fournit un *emplacement* pour une embarcation. Une compagnie aérienne fournit des *fauteuils* à bord de ses avions. Une entreprise de nettoyage de vêtements remet à son client un *vêtement propre.* Un établissement hospitalier donne des *soins* à ses clients. Les entreprises de services publics fournissent, les uns des *communications* entre leurs abonnés, les autres un *courant électrique.* Les gouvernements municipaux fournissent des *rues* propres et en bon état et des *parcs* bien aménagés. Les stations de radio et de télévision diffusent des *émissions* vers leurs auditeurs et leurs téléspectateurs...

Malgré qu'une entreprise, comme ses clients d'ailleurs, puisse accorder moins d'importance au produit lui-même qu'aux autres caractéristiques du service, on ne doit pas perdre de vue l'*objet de la transaction, ce que le client veut obtenir.*

La rapidité

Le temps requis pour obtenir le service est un facteur important. Par exemple, l'observation des expressions d'impatience et de colère en dit long sur les sentiments des hommes et des femmes à attendre devant un guichet automatique qui affiche « Temporairement hors service », ou en file devant les passages étroits des caisses enregistreuses dans les supermarchés, ou dans les bouchons de circulation causés par des réparations à la chaussée.

Plus le rythme de vie s'accélère, plus le temps devient un facteur critique. La rapidité du service rendu devient donc un atout important pour se distinguer des concurrents. Reconnaissons cependant que cette caractéristique touche davantage certaines clientèles que d'autres. Dans certains coins de villégiature de la Province, par exemple, où l'on retrouve de nombreux retraités, le personnel des commerces de détail a compris qu'il fallait prendre tout le temps voulu pour s'intéresser à la santé de leurs clients et à leur prochain voyage *vers le sud* pour s'assurer leur fidélité. Rappelons que tout se joue dans la **valeur** qu'un client accorde à une caractéristique souvent dominante du service !

Dans la rapidité du service, nous incluons son accessibilité. Il ne s'agit pas ici de déterminer si un service est disponible ou non, mais plutôt de la difficulté d'y avoir vite accès. Par exemple, se butter contre des lignes téléphoniques de renseignements sur l'impôt bloquées à longueur de journée ne qualifie pas le service d'inaccessible. Il faut seulement un peu de patience... À ce titre, plusieurs entreprises ont adopté des normes précises quant au nombre de sonneries de téléphone avant de répondre. À la CIBC, par exemple, ils sont limités à trois, maximum.

L'exactitude

Personne ne souhaite recevoir un chèque de paye sur lequel la virgule a été déplacée d'un chiffre vers la gauche. Pour un relevé d'impôts à payer, peut-être que oui! Enfin, passons...

Un article en pièces à assembler, acheté dans un magasin de détail, doit être complet. De la même façon, au sein d'une compagnie d'assurances, le service qui calcule les montants des réclamations à payer s'attend à ce que les enquêteurs de sinistres fournissent des fiches de renseignements complètes. De même aussi, un passager d'une compagnie aérienne n'accepte pas de reprendre deux valises seulement arrivé à sa destination, alors qu'il en avait confié trois au comptoir d'enregistrement à son départ.

En tant que consommateurs, nous nous attendons à un service téléphonique, une alimentation en eau potable, une livraison de courant électrique sans interruption. Les trains, les autobus, les avions doivent partir et arriver aux heures annoncées. Tout manquement en ce sens est un accroc à l'exactitude du service et irrite le client.

Le prix

Puisque le marché de consommation est régi par des disponibilités financières toujours limitées, le prix devient souvent un des facteurs déterminants dans le choix d'un fournisseur de services. Il est cependant étonnant de constater qu'un nombre grandissant de consommateurs et de grandes entreprises préfèrent payer un peu plus cher pour gagner sur les autres caractéristiques du service rendu (rapidité, exactitude, attention personnelle...).

Les fournisseurs de services, à travers leurs stratégies de marketing, connaissent l'interaction du prix avec les autres caractéristiques du service. La chaîne de supermarchés Provigo a cinq structures de prix qui tiennent compte, bien sûr, de l'éloignement des points de vente des centres de distribution, mais aussi de la force de la concurrence dans les régions et la capacité de payer des consommateurs. Dans les villes où se logent les mieux nantis, comme Westmount et ville Mont-Royal en banlieue de Montréal, Sillery et Lac Beauport en banlieue de Québec, les services coûtent en général plus cher. Pour ces consommateurs, ces services conservent quand même leur **valeur**.

L'attitude du personnel

Dans plusieurs situations, les services sont davantage caractérisés par les contacts personnels que par le produit lui-même. C'est la dimension humaine du service. La compréhension des problèmes du client, la sincérité dans les rapports, les attentions personnelles, sont toutes des caractéristiques qui donnent la *couleur* et souvent la *chaleur* à la relation d'affaires.

À titre d'exemple, un homme se présente en compagnie de son jeune fils à un comptoir de service de nettoyage pour y cueillir des vêtements apportés la veille. Client occasionnel de ce comptoir, cet homme paye la facture, prend livraison des vêtements nettoyés et s'apprête à quitter l'établissement lorsque le commis se penche sous le comptoir pour y prendre un plateau de friandises et, avec un large sourire, en offrir à l'enfant ravi. Ce commis, naturellement affable, venait d'ajouter une touche de chaleur à la transaction, cristallisant ainsi la qualité du service. Le client est revenu par la suite régulièrement à ce comptoir de nettoyage.

Voici une situation un peu particulière. Une employée d'un salon de coiffure de l'Île des Soeurs, en banlieue de Montréal, passe devant une cliente en plein traitement capillaire. Cette cliente se lève d'un trait de sa chaise et suit la jeune employée jusqu'à une salle de repos à l'arrière où elle la gifle en lui lançant : " Toi, la dernière fois que je suis venue ici, tu m'as laissé couler de l'eau dans le dos. J'avais un compte à régler avec toi. " Froidement et sans dramatiser la situation outre mesure, la propriétaire du salon de coiffure, témoin de l'incident, a retiré la cape protectrice des épaules de la cliente en lui disant : " Vous n'êtes plus notre cliente. " Quelle leçon à tous les employés ! Bien sûr, les clients ont toujours raison. Il existe cependant des façons plus convenables de se plaindre. Avec plus de tact, cette cliente aurait pu signaler son mécontentement à la propriétaire et, sans doute, bénéficier de traitements de faveur pour compenser le désagrément. L'employée fautive aurait pu alors entendre les revendications de la cliente et réagir positivement. Qui déjà a dit qu'il fallait casser des oeufs pour faire une bonne omelette ?

La reconnaissance de compétence

Toutes les transactions d'affaires sont fortement axées sur des relations de confiance. Si la compétence du fournisseur de services n'est pas reconnue par le client, le service perd toute sa crédibilité.

Voici un exemple. Dans un ministère, au sein de l'appareil gouvernemental provincial, des lettres-types extraites des ordinateurs du service par des commis contiennent des erreurs techniques en plus de souffrir d'une nomenclature floue. De lettres contenant des renseignements erronés sont expédiées. Les erreurs techniques sont identifiées par les destinataires. Ceux-ci se plaignent et perdent confiance.

La réputation des commis-vendeurs de certains points de vente au détail n'est pas toujours reconnue comme très crédible. Tandis que des magasins à très grandes surfaces vendent à gros volume des chaînes stéréo à petits profits selon le mode des trois P : « Prenez-Payez-Partez », d'autres établissements offrent à leurs clients des conseils judicieux dans le choix des appareils stéréo pour en assurer une harmonisation des éléments parfaite. La même situation se retrouve dans la vente de meubles et d'éléments de décoration intérieure. Dans certains établissements de grande classe, des décorateurs diplômés et reconnus professionnellement offrent des conseils et préparent des maquettes d'aménagement des éléments intérieurs. “ C'est un peu plus cher, mais c'est plus que du bonbon... ”

Au plan du phénomène d'entraînement dans la diffusion de la réputation, il est frappant de constater comment les commentaires favorables d'un ami peuvent influer sur nos habitudes d'achat. Quelques mots comme : “ Va donc là, ils donnent un bon service, eux ! ” nous font accourir pour y chercher satisfaction. Aucune publicité supplante le bouche-à-oreille de cette façon. La relation inter-personnelle avec le client prend toute son importance dans cette projection de compétence.

L'environnement, le milieu

La dernière caractéristique du service touche l'aménagement, la disposition physique des lieux. Non seulement un environnement agréable a des effets bénéfiques sur le moral et la motivation des employés, mais il a beaucoup plus d'influence qu'on ne le croit sur la perception de qualité de service par les clients.

Dans certains restaurants et magasins au détail, le système de sonorisation lance une musique *heavy-metal.* Les jeunes commis aiment çà... Plutôt qu'inciter les clients à acheter davantage, c'est une invitation à sortir plus tôt que prévu ! Des salles d'attentes de cliniques médicales sont en désordre, des magazines démodés sont étalés pêle-mêle sur des tables écorchées, le téléviseur est en panne, les tentures sont à ce point sales qu'elles tiendraient seules debout sur le plancher, les chaises sont en nombre insuffisant (tous les *patients* ont été convoqués pour la même heure).

Il y a quelques années, les clients des institutions financières pouvaient se diriger vers le caissier ou la caissière de leur choix. Sous des prétextes d'ordre et de meilleure répartition des clients vers les guichets (il faut comprendre : diriger les clients vers des commis moins populaires), les directions ont installé des clôtures semblables à celles utilisées pour diriger les troupeaux d'animaux vers leurs stalles. Une caricature dans un quotidien montrait des moutons en file vers les guichets d'un établissement bancaire, à travers un impressionnant labyrinthe de cordes...

Qualité de service : facile ?

Qui, homme ou femme, n'a pas cuisiné de bons hamburgers sur la cuisinière ou sur charbon de bois ? Rien de plus facile ! Nous serions donc tous qualifiés pour nous lancer en affaires dès demain matin en vendant de succulents hamburgers. Est-ce là une garantie de réussite ? Bien sûr que non. Plusieurs s'y sont déjà essayés mais seul McDonald a très bien réussi ! Pourquoi donc ? Parce que l'entreprise a cultivé les valeurs d'excellence insufflées à l'origine par le fondateur Ray Krock. Ces valeurs sont toutes axées sur la satisfaction de la clientèle et sur l'efficacité : rapidité et uniformité du service, bon rapport qualité/prix, accueil chaleureux, environnement agréable, propreté des établissements, dépassement des attentes du client... Qui aurait pensé qu'il faille passer par la *Hamburger University* (propriété de McDonald) en banlieue de Chicago, pour vendre avec succès des hamburgers !

Au Québec, la chaîne de restauration-minute Frits semblait promise à un bel avenir, il y a quelques années. Faire rôtir des hot-dogs et chauffer des pommes de terre dans l'huile, quoi de plus facile ! La chaîne n'a pas su ***préparer*** la qualité et n'a pu survivre à une gestion nonchalante, à une mauvaise interprétation des attentes de la clientèle.

Les échelles de mesure

Il existe deux sortes de mesures :

1. les évaluations objectives
2. les évaluations subjectives.

Lorsque les erreurs commises sont comptées, que les plaintes des clients sont compilées, que le temps d'exécution des tâches est mesuré, il s'agit d'évaluations objectives. Ces observations sont toutes basées sur des faits tangibles. L'analyse statistique de la qualité se fait alors de façon conventionnelle.

La qualité de l'accueil au téléphone ou au comptoir de service ne se mesure pas à l'aide d'un chronomètre, d'une règle à mesurer. Une évaluation subjective doit être faite. Une échelle de mesure doit alors être élaborée. Elle peut tenir compte de la spécificité de la situation comme, par exemple, le cas de la qualité d'une trame sonore reproduite par un disque au laser.

Qualité de reproduction sonore

Qualité excellente :	reproduction parfaitement fidèle à la réalité
Bonne qualité :	la reproduction contient des défauts à peine perceptibles
Qualité passable :	défauts perceptibles mais non désagréables
Faible qualité :	défauts désagréables
Mauvaise qualité :	défauts tout à fait inacceptables.

Après avoir défini les divers niveaux de qualité rencontrés, il devient facile d'ajouter une gradation appropriée. Voici une échelle d'évaluation subjective quasi-universelle pour définir les niveaux de qualité dans une entreprise de services :

5. Excellent	Satisfaction totale, aucune faille apparente ;
4. Bon	Plus satisfaisant que la moyenne, les fautes sont mineures ;
3. Passable	Satisfaction moyenne, les fautes sont modérément désagréables ;
2. Faible	Satisfaction inférieure à la moyenne, les fautes sont désagréables ;
1. Mauvais	Totalement insatisfaisant, les fautes sont intolérables.

Ce genre d'échelle d'évaluation permet de pointer le niveau de qualité d'un service, de tracer des histogrammes ou des courbes de comportement, et de faire des calculs statistiques. Une telle évaluation permet l'identification des situations-problèmes et l'établissement des relations cause-effet. Voilà le *fil conducteur* du programme qualité totale dont nous avons déjà parlé.

Afin d'éviter les grands écarts dans la perception subjective de la qualité d'un service, chez le personnel de l'entreprise, il est impératif d'obtenir un consensus sur les critères et sur l'échelle d'évaluation (subjective) à utiliser. Les employé(e)s susceptibles de voir le résultat de leur travail évalué participeront à l'élaboration de l'échelle d'évaluation. Et puisque plusieurs études démontrent la force des objectifs d'amélioration fixés par les employés eux-mêmes, des cibles fixées par eux deviennent une véritable *structure osseuse* du programme de qualité totale.

Les techniques

Parmi les techniques de détection et d'analyse des défaillances les plus utilisées, mentionnons les séances de *brainstorming*, les cartes de contrôle, l'analyse statistique, l'affichage des tendances, les histogrammes, l'analyse et le diagramme de Pareto, etc.

Les cartes de contrôle sont empruntées aux usines de fabrication où on trace le comportement de la conformité à une norme pré-établie. Selon des périodes de temps données ou à une étape précise de la fabrication, des échantillons sont mesurés et les résultats sont inscrits sur la carte de contrôle. De la même façon certains paramètres peuvent être mesurés. Lorsque de nombreuses données doivent être colligées, une méthode d'évaluation par échantillonnage s'impose. L'analyse statistique permet alors de définir, avec un degré de certitude relatif, le niveau de qualité d'un gros ensemble d'événements, de situations, de clients insatisfaits. Elle permet également de définir la capacité opérationnelle d'un procédé.

L'affichage public des résultats par l'utilisation d'histogrammes, de graphiques en bâtonnets illustrant le comportement de la qualité dans des secteurs donnés, selon des aspects spécifiques, démontre le résultat des efforts et les tendances à la hausse, les tendances à la baisse, etc.

Les sondages d'opinion (enquêtes de satisfaction)

Ils servent à évaluer le taux de satisfaction selon des critères préalablement définis. L'évaluation de la perception peut viser deux clientèles : 1° les clients de l'entreprise, 2° les employés. Dans les deux cas, il s'agit de dépister les faiblesses de l'organisation, donc de poser un diagnostic de la situation.

Plusieurs méthodes de sondage ont été mises au point. Les clients peuvent être visités ou appelés par téléphone. Un formulaire peut leur être expédié par courrier. La page suivante reproduit un tel formulaire (figure 17). Le lecteur trouvera deux autres types de formulaires d'enquête de satisfaction aux pages 132 et 140 de ce volume.

Ces questionnaires ne répondent pas à toutes les interrogations. La formulation des questions invite cependant les clients à donner sans détour leur opinion. L'interprétation des résultats du sondage demeure un exercice délicat. Seules des courbes de tendances à long terme permettent de tirer des conclusions valables. Idéalement, les sondages d'opinion doivent se répéter et alimenter périodiquement la réflexion des *Équipes d'amélioration de la qualité.*

De nombreuses entreprises comme Techno-Diesel et B-Sol comptent utiliser périodiquement de tels sondages d'opinion pour sensibiliser leurs employés aux besoins et attentes de leur clientèle.

On veut votre opinion !

À titre de client, que pensez-vous de notre service, de nous, et de nos prix ? Cochez les cases appropriées :

Le service est...

- ☐ mauvais
- ☐ fiable
- ☐ lent
- ☐ excellent
- ☐ plein d'erreurs
- ☐ super !
- ☐ moyen
- ☐ sans erreurs
- ☐ rapide
- ☐ pas fiable

Les gens sont...

- ☐ ordinaires
- ☐ compétents
- ☐ pas parlables
- ☐ attentifs à ce qu'on veut
- ☐ incompétents
- ☐ nonchalants
- ☐ supers!
- ☐ insouciants à ce qu'on veut
- ☐ avenants
- ☐ pas toujours de bonne humeur

Les prix sont...

- ☐ élevés
- ☐ bon marché
- ☐ acceptables
- ☐ moins chers qu'ailleurs
- ☐ très élevés
- ☐ compétitifs

Les heures d'ouverture vous conviennent-elles ?

☐ pas vraiment ☐ moyennement ☐ oui, beaucoup

Quel(s) commentaire(s) feriez-vous à notre direction ?

Figure 17

Qui, dans l'organisation, peut le mieux identifier les problèmes de qualité de service, et les façons de les solutionner ? L'employé lui-même, bien sûr. Encore faut-il qu'il ou elle soit motivé(e) à le faire. Un sondage d'opinion auprès du personnel permet généralement de dépister tout malaise ou irritant pouvant contrecarrer les efforts de la direction dans sa *démarche vers la qualité totale.*

Le lecteur trouvera à la page suivante (figure 18) un prototype de formulaire de sondage auprès des employés.

Les résultats d'un tel sondage sont parfois étonnants. Il nous a été donné de voir les employés pointer du doigt des membres de la direction : ceux-ci offraient une résistance de tous les instants aux suggestions d'amélioration des processus ! Encore là, comme dans le cas de l'interrogation des clients, la prudence dans l'interprétation des résultats s'impose.

Les rencontres individuelles avec un consultant extérieur permettent aussi de dépister les malaises et les empêchements à la mise en place d'un processus d'amélioration.

Tandis que les cadres et les employés subalternes de l'entreprise courent en tous sens au milieu de la *forêt*, une personne du dehors saisit mieux la taille de la forêt, la répartition des essences, les clairières, les arbres morts...

Les sondages d'opinion auprès des clients et des employés représentent d'excellents outils de départ pour poser un *diagnostic-qualité.* S'ajouteront ensuite une recherche et une analyse au sein des processus de travail.

On veut votre opinion !

Allez-y franchement, c'est un questionnaire anonyne!

Qu'est-ce que vous aimez le plus en travaillant ici ?

____

____

Qu'est-ce que vous aimez le moins ?

____

____

Voyez-vous votre patron comme quelqu'un de compétent ?

☐ oui ☐ moyennement ☐ non

Croyez-vous que votre patron a la bonne attitude pour diriger du personnel ? ☐ oui ☐ moyennement ☐ non

Croyez-vous que nos clients sont toujours satisfaits ?

☐ oui ☐ moyennement ☐ non

S'ils ne le sont pas toujours, pouvez-vous nous dire pourquoi ?

____

____

Quels cours de formation vous aiderai(en)t à mieux faire votre travail ?

____

____

Considérez-vous que vous êtes bien payés ?

☐ oui ☐ moyennement ☐ non

Si vous étiez le grand patron, quel(s) changement(s) apporteriez-vous ?

____

____

Figure 18

L'analyse de Pareto

Pour éviter de réagir à de banales situations-problèmes et perdre de vue celles qui ont le plus d'impact sur l'organisation, l'analyse de Pareto nous vient en aide. Elle permet de classer les situations par ordre d'importance. La *loi du 20-80* est l'héritage d'un économiste italien, de son vrai nom Vilfredo-Frederico Samoso, surnommé le Marquis de Pareto. Par ses observations, *Pareto* constata que 20 p. cent des gens contrôlaient 80 p. cent des richesses, que 20 p. cent des terres donnaient 80 p. cent des récoltes, etc. Dans la gestion de la qualité, l'analyse de *Pareto* est d'un précieux secours parce qu'elle permet, comme nous le disions plus haut, de focaliser l'attention sur les problèmes importants et laisser de côté ceux qui ont une incidence mineure sur le fonctionnement de l'organisation.

Cette analyse de *Pareto* se fait en quatre étapes :

1. identifier les types de problèmes
2. calculer la fréquence de chaque type de problème
3. déterminer la valeur des impacts de chaque type de problème
4. tracer le diagramme.

Pour saisir toute la démarche, voici un exemple. Les résultats d'un sondage d'opinion auprès des clients d'une entreprise de vente de protection contre les risques révèle cinq types principaux d'insatisfaction : les erreurs dans l'émission des chèques de réclamation, insuffisance du nombre de bureaux de vente, prix non concurrentiels, insolence du personnel, et représentants non disponibles.

Pour chacun des types de plaintes, un comité a défini un facteur de pondération :

		Pondération
A	Erreurs sur les montants des chèques de réclamation	8
B	Insuffisance du nombre de bureaux de vente	1
C	Prix non concurrentiels	3
D	Insolence du personnel au téléphone	10
E	Représentants non disponibles	4

Une étude échelonnée sur quatre semaines, a permis de dresser le tableau suivant :

Types de problème	1ère sem.	2e sem.	3e sem.	4e sem.	Nombre total	Pondé-ration	Impacts	Impacts relatifs
A	12	11	10	11	44	8	352	32%
B	10	13	9	12	44	1	44	4%
C	9	8	11	10	38	3	114	10%
D	10	13	11	12	46	10	460	42%
E	6	10	7	11	34	4	136	12%
							1106	100%

Tableau 1

Une fois les impacts relatifs calculés, le diagramme est tracé :

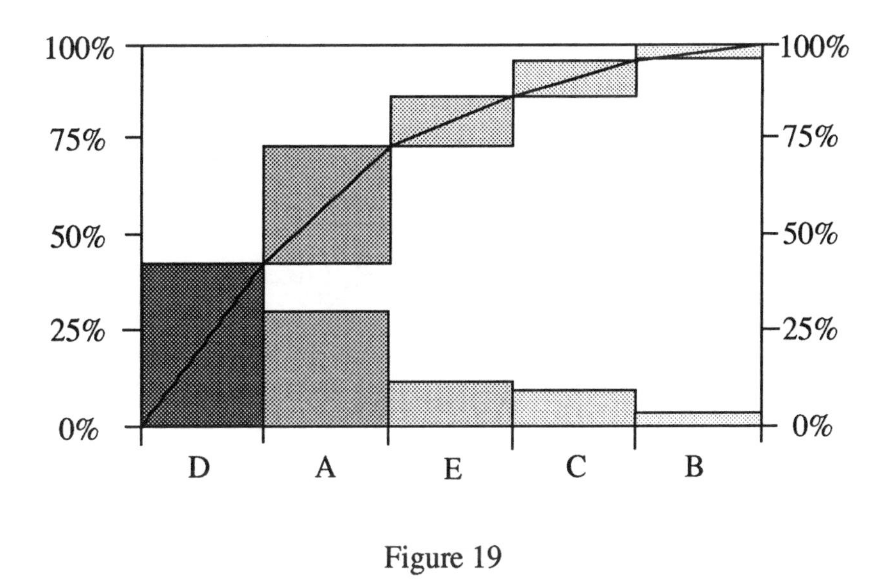

Figure 19

Ce graphique montre que les problèmes de types D et A sont responsables de près de 80 p. cent des impacts négatifs sur l'entreprise. Ils devront donc être étudiés en priorité.

Le diagramme cause-effet d'Ishikawa

Sous forme de tracé en *arêtes de poisson*, le diagramme incite à établir la relation la plus probable entre l'effet observé, c'est-à-dire le problème à régler, et la cause la plus plausible. Ce diagramme a été mis au point par le Dr Kaoru Ishikawa, dans les années 70, dans le but de forcer la recherche vers les principales sources de problèmes.

Le diagramme Ishikawa

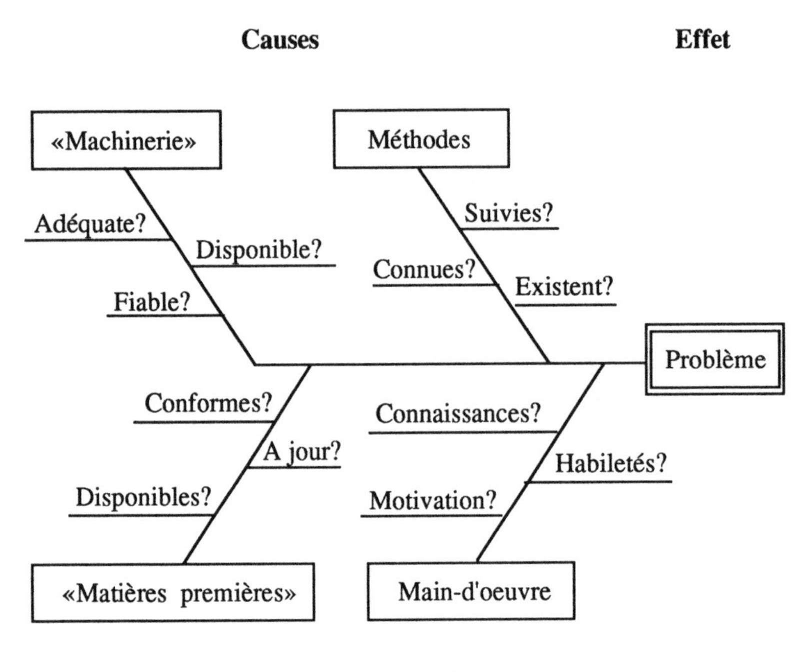

Figure 20

Quatre ou plusieurs *secteurs de responsabilités*, désignés parfois par « les 4, 5, 6, 7... M », paraissent aux extrémités des *branches*. Les secteurs identifiés peuvent être :

- Les **m**éthodes de travail
- La **m**ain-d'oeuvre
- Les **m**achines-outils
- Les **m**atières premières (formulaires, etc.)
- La **m**onnaie (budgets)

- Le **m**ilieu de travail
- Le **m**anagement
- ...

Le processus mental de recherche des causes parmi les «M» paraît logique. Sans la visualisation de quelques détails associés aux *branches* du réseau et des liens possibles avec le problème à l'étude, cette recherche est souvent difficile.

L'analyse coût-avantage

Puisque, d'une façon ou d'une autre, les problèmes ont une incidence monétaire sur l'organisation, leurs solutions doivent être évaluées en fonction des économies réalisées. L'action corrective doit être mesurée selon les avantages retirés par chacune des solutions possibles. Le meilleur rapport coût-avantage l'emportera. Des grilles et des matrices relationnelles de coûts et d'avantages correspondants peuvent être favorablement préparées pour une meilleure prise de décision.

La technique du remue-méninges (*brainstorming)*

Fréquemment utilisé pour identifier les problèmes de fonctionnement de l'unité de travail ou de qualité de service aux clients (internes aussi bien qu'externes), et pour en identifier les solutions, le remue-méninges ou le *brainstorming* est régi par les règles suivantes :

a) l'animateur écrit sur un tableau ou une tablette de papier (montée sur chevalet) une question qui permet de centrer l'attention sur le fonctionnement de l'unité de travail ou du service à la clientèle, par exemple : « Qu'est-ce qui nous empêche d'être efficace à 100 p. cent dans notre unité de travail ? » ;

b) l'animateur lit à voix forte la question posée; il relance par la suite périodiquement, et de façon acharnée, la question, à la manière d'un disque brisé ;

c) l'animateur écrit de façon la plus concise possible les problèmes identifiés par les membres du groupe, en les numérotant au fur et à mesure, pour s'y référer facilement ;

d) chacun doit se sentir libre de s'exprimer, sans peur d'être jugé ;

e) on ne critique pas les énoncés ;

f) l'animateur encourage chacun à exprimer ses idées et va même jusqu'à solliciter la participation de ceux qui ne se sont pas encore exprimés ;

g) lorsqu'une feuille est complétée, elle est affichée au mur, face à tous, à l'aide de ruban gommé; d'autres feuilles s'y adjoindront jusqu'à la fin du *brainstorming* ;

h) il faut éviter de mêler les problèmes et les solutions; par exemple : « La porte du bureau est difficile à ouvrir » et « Il faudrait quelques gouttes d'huile à la porte du bureau » représente le premier le problème, l'autre la solution ;

i) la période de *brainstorming* dure environ 10 minutes.

Les techniques de résolution de problèmes

Ces techniques sont nombreuses. Leurs structures de base demeurent la même cependant. Voici la liste des principales étapes de cette technique :

1. définir le plus précisément possible le problème ;

2. établir la relation cause-effet ;

3. dresser une liste des solutions possibles, en tenant compte des coûts, des avantages et des impacts de chaque option ;

4. établir un consensus sur la solution la plus avantageuse ;

5. implanter la solution choisie ;

6. évaluer les résultats.

De toutes ces étapes, la première, la définition du problème, représente la pierre d'achoppement la plus courante. Nous connaissons notre facilité légendaire à critiquer, à dénoncer des situations indésirables. Lorsque nous devons préciser cependant l'objet de nos critiques, les idées se font imprécises : " Les clients sont mécontents, " entendons-nous simplement.

Précisons :

- Combien de clients, en pourcentage, se plaignent ?
- De quel ordre est leur mécontentement ?
- Dans quelles situations les défaillances se manifestent-elles ?

Voici trois exemples de problèmes bien exprimés :

- Notre délai moyen de livraison est deux fois supérieur à celui de nos concurrents.

- Trois p. cent de nos factures contiennent des erreurs sur les prix de vente.

- Nos clients sont mécontents, dans une proportion de cinq p. cent, de se voir accorder un rendez-vous dans un délai dépassant deux semaines.

Bien définir le problème, c'est déjà s'approcher de la solution !

...et les autres techniques

D'autres moyens peuvent également être utilisés en gestion intégrale de la qualité.

Il ne faudrait pas oublier, par exemple, la technique la plus élémentaire : le gros bon sens. Une simple oreille attentive aux commentaires et aux suggestions de leurs clients a valu à de grandes organisations comme Xerox, IBM et Hewlett-Packard une meilleure efficacité dans leur exploitation, une plus grande part du marché et des profits impressionnants!

Chapitre 7

Optimiser le processus client-fournisseur

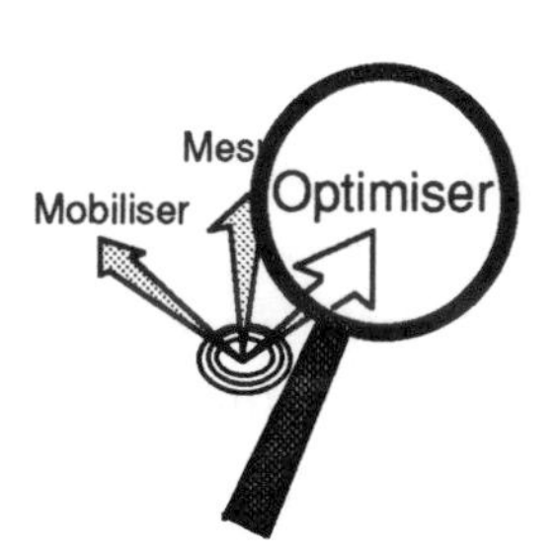

Dans ce troisième vecteur de mise en place de la qualité totale, tout le processus de travail en amont du client est passé en revue. Pourquoi depuis le client et non pas à compter du fournisseur ? Parce que le client est le point de mire, la raison d'être de l'entreprise. Parce que le fournisseur de services doit ajuster toute sa stratégie par des méthodes efficaces pour le satisfaire. La relation peut même rendre le client partenaire des objectifs d'excellence de son fourniseur. Au fil des ans, des activités se sont greffées au processus de base pour le compliquer souvent inutilement. Il faut le simplifier.

Le processus compliqué

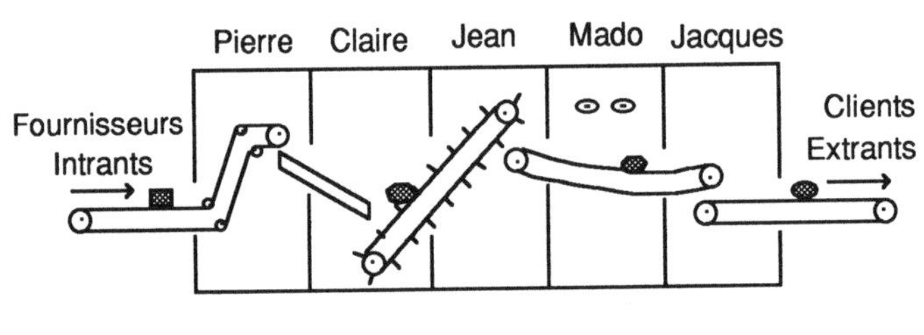

Figure 21

Ce dessin caricature, à peine, la réalité de nombreuses entreprises aux prises avec des pratiques et des méthodes compliquées. Les tâches y sont souvent même doublées.

En voici un exemple : le service d'exploitation d'une grande entreprise de radio et de télévision a mis sur pied son propre système de contrôle financier parce que les gestionnaires de ce service n'arrivaient pas à s'entendre avec ceux du service central des Finances. Ce double système a résulté du refus catégorique du service central de simplifier les rapports et de les présenter sous la forme désirée par le *client interne.* Deux employées ont été affectées à cette tâche pour préparer les rapports désirés...

Un cadre d'une grande société para-gouvernementale québécoise lançait récemment : “ Chez nous, les gens des ressources humaines compliquent tellement les choses qu'ils m'embêtent au lieu de m'aider à mieux faire mon travail. Pour le recrutement du personnel, par exemple, je suis sur le point de retenir les services de recruteurs professionnels externes qui, eux, vont mieux comprendre mes besoins ! ”

Le directeur d'un service universitaire à Montréal signalait, il y a quelque temps, son mécontentement de voir une imprimante à aiguilles inopérante depuis trois semaines. “ Je serais bien disposé à payer pour la faire réparer à l'externe mais le règlement exige de référer toutes nos demandes de service au secteur de l'informatique. Et ces gens-là sont débordés. Alors l'imprimante demeure inopérante... ”

Dans une autre organisation, un service a contourné la directive du secteur centralisé de l'informatique pour acquérir des ordinateurs de conception différente de ceux déjà achetés par ce secteur. Double achat...

Voilà comment, peu à peu, les organisations deviennent très complexes. On ajoute, on multiplie les fonctions, les postes de travail, les *outils*, sans pour autant augmenter l'efficacité... et la qualité !

Dans la plupart des services de l'État (selon les propos du Protecteur du citoyen rapportés au chapitre trois), les formalités d'approbation pour effectuer des changements dans le processus de travail sont tellement complexes qu'elles en étouffent toute tentative d'amélioration.

Le processus simplifié

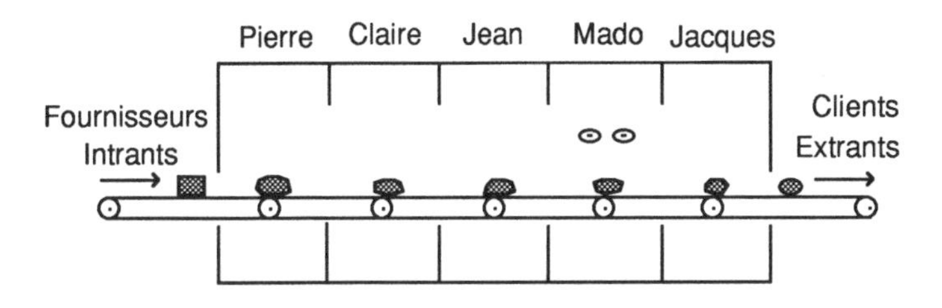

Figure 21

Le dessin de la page précédente indique que, pour les mêmes *intrants*, les mêmes intervenants et les mêmes *extrants* que ceux illustrés à la figure 20, le processus a été simplifié et décloisonné afin d'atteindre une plus grande efficacité. Ici, pas de formalités inutiles. Les employés connaissent les enjeux d'affaires. Ils sont conscients des conséquences de la mauvaise qualité de leur travail sur les tâches subséquentes dans la *chaîne de production.*

Voici un exemple de simplification du processus. Chez Westinghouse à Baltimore aux États-Unis, des équipes d'employés responsables de la prise de commande, de la production et de la livraison de modules électroniques ont réduit le nombre d'*opérations* de 504 à 138 en un an !

Les quatre points de mire de la qualité totale

Pour aider à comprendre la route vers la qualité totale (et la création de la qualité dans le processus client-fournisseur), il est important de saisir où se loge cette qualité. À la rigueur, toutes les activités de l'entreprise pourraient être pointées du doigt. Nous identifions cependant quatre points de mire précis pour cerner la qualité de service :

- la perception de la qualité de service par la clientèle ;
- la perception qu'en a l'entreprise ;
- les méthodes et les procédés ;
- l'attitude des employés.

Chacun de ces points de mire représente, tour à tour, une recherche pour mieux connaître la situation et pour intervenir alors plus efficacement sur des secteurs précis de l'organisation.

Les points de mire de la qualité totale

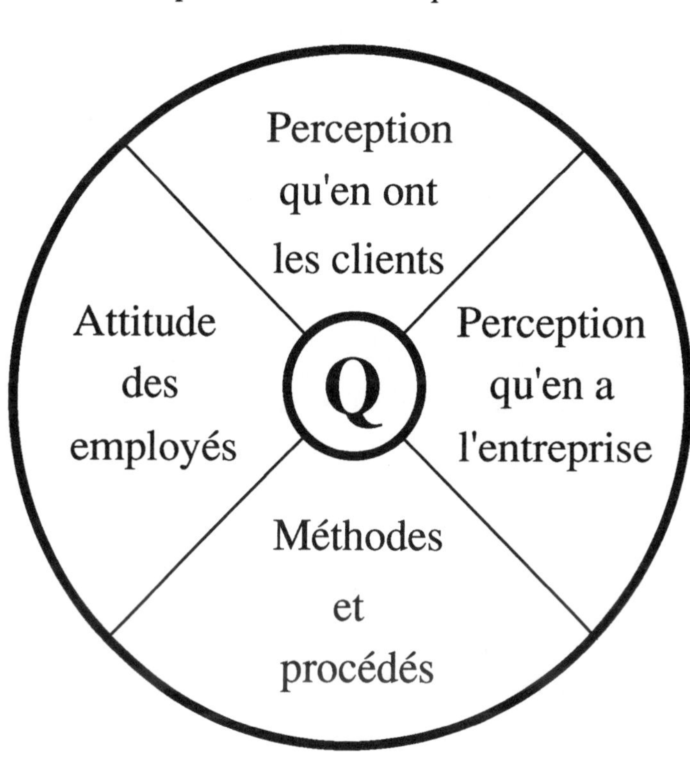

Figure 23

La qualité dans la perception qu'en ont les clients

Quels que soient les efforts déployés pour offrir un excellent service, si la clientèle juge la qualité insuffisante, ces efforts sont vains. Voilà un postulat cruel. Par contre, le client qui n'a pas connu mieux acceptera sans ambages un service de qualité douteuse (jugée par d'autres). Mais, étant sollicitée de toutes parts, la clientèle a de fortes chances de trouver mieux tôt ou tard...

La perception de qualité chez les consommateurs est souvent cultivée par la publicité à travers une image de marque. Le principe est bien connu. La télévision et les imprimés véhiculent des messages de luxe, de prestige, de qualité. La publicité télévisée des brasseries, par exemple, ne vante pas la composition chimique et organique de leur bière, elle présente plutôt des modèles de vie (heureuse) prétendument accessibles en achetant la boisson de telle marque de commerce...

La qualité dans la perception qu'en a l'entreprise

Dans un quotidien montréalais paraissait une pleine page de publicité de Ford « La qualité passe avant tout ». Dans le cahier *Automobile* de la même publication, un gros titre annonce que le constructeur a dû rappeler deux millions de voitures parce que le système de carburation pouvait y mettre le feu ! Vouloir la qualité ne suffit pas, disions-nous... Dans les années cinquante, la compagnie Ford conçut la *Edsel*, une voiture qui ne se vendait pas. Ford en a interrompu la fabrication dès la deuxième année. Dans la décennie suivante, la compagnie GM mettait sur le marché la Corvair dont le réservoir à essence prenait feu lorsque la voiture était percutée à l'arrière. Un défaut plutôt gênant. Les bévues des entreprises de services prennent parfois des allures tout aussi loufoques.

L'écart entre la perception de la qualité par le personnel de l'entreprise et par le client est souvent frappant. Ainsi, dans une grande banque canadienne, une enquête auprès des clients du service informatisé de préparation de la paie évaluait à 70 p. cent la fiabilité (sans erreurs) des transactions. À la même période, les employés du service concerné l'évaluaient à 95 p. cent.

Pour réduire cet écart, des sondages d'opinion doivent être effectués régulièrement. Tous les employés doivent en connaître les résultats. La direction doit insister pour réduire cet écart et tous les efforts doivent être déployés, avec acharnement, pour atteindre une fiabilité à 100 p. cent.

La qualité dans les méthodes et les procédés

Avant même d'avoir pignon sur rue, des entrepreneurs, des administrateurs, des techniciens ont conçu le service à rendre, en fonction de leur perception des besoins de la clientèle. Des méthodes de travail ont été définies. Une organisation sociale et technique a été mise en place. Déjà, le niveau de qualité de service a pris forme.

Dans les méthodes et les procédés s'est jouée la *stratégie qualité.* La façon de faire les choses, la simplicité du processus, les techniques innovatrices contribuaient au départ à répondre rapidement et entièrement aux attentes de la clientèle. Au cours de quelques années, l'organisation a dû relever de nombreux défis et a greffé souvent des services de support à l'exploitation, devenus par la suite lourds à porter.

L'exemple des services informatiques au sein des grandes entreprises est frappant. Sous le couvert d'une centralisation au départ jugée essentielle, toutes les demandes d'achat de nouveaux appareils et logiciels, de déplacement des appareils en place, de réparation d'ordinateurs, d'imprimantes et d'écrans témoins sont devenues assujetties aux disponibilités d'un personnel compétent mais débordé. Plusieurs établissements s'interrogent sur la possibilité d'utiliser des ressources externes...

Les méthodes et les procédés sont mis en place en fonction du service à rendre à des clients (internes ou externes). Encore faut-il que l'organisation ne se définisse pas comme une fin en soi. C'est le piège dans lequel tombent plusieurs institutions publiques. Elles finissent par n'exister que pour elles-mêmes, oubliant les clients, leur vraie raison d'être.

Quel que soit le processus, la mesure périodique de la qualité, voire le contrôle statistique de ses procédés, s'impose. **Mesurer pour s'améliorer, non pour contrôler...**

La qualité dans l'attitude des employés

Nous en arrivons au facteur le plus significatif de la qualité de service : l'attitude et le comportement du personnel.

Des erreurs se commettent quotidiennement. Certaines de ces erreurs ont des effets néfastes sur les relations avec la clientèle. D'autres affectent la rentabilité de l'entreprise. Des marchandises sont volées par des commis aux ventes frustrés, non motivés et tenus à l'écart des enjeux d'affaires dans les magasins de détail. Les pertes se chiffrent par centaines de millions de dollars.

À l'inverse, comme nous l'avons vu dans un exemple du chapitre deux, un chef de rayon hautement motivé peut, par son attitude, enchanter un client au point d'assurer sa fidélité indéfectible, et recruter, par effet de télescopage, d'autres clients.

Dans les entreprises de services, l'attitude des employés en contact avec la clientèle prend une importance capitale. Ce seul élément peut assurer le succès. L'exemple suivant en témoigne. Un sondage d'opinion auprès de la clientèle de la firme Techni-Contact, un grossiste en pièces et accessoires électroniques de Montréal, a révélé que les communications téléphoniques avec le personnel du bureau étaient davantage appréciées par les clients que les visites des représentants. Un client a même mentionné : " C'est mon seul fournisseur à travers le Canada où je sais que les gens sont toujours de bonne humeur ! " Voilà qui explique la croissance rapide de cette entreprise.

Les quatre points de mire dans la recherche de l'amélioration continue représentent donc une concentration de l'attention des dirigeants, des agents de maîtrise, des *Équipes d'amélioration de la qualité*, aussi bien que celle des employés responsables directement du service à la clientèle.

Le cycle de la qualité

Voici une autre façon de converger l'attention sur des aspects plus globaux du processus. Le cycle de la qualité représente une autre illustration de la recherche systématique de l'amélioration de la qualité des services dans les activités fondamentales qui régissent tout le processus.

Le cycle débute et se termine par les besoins et attentes du client. La perception qu'ont les dirigeants de ce que le client s'attend à obtenir de son fournisseur se traduit par la définition et la mise en forme du service à rendre. Les *intrants* au processus de *production* sont choisis : les ressources humaines et les ressources matérielles sont rassemblées et structurées pour une exécution optimale des activités. Les produits de l'exploitation, les *extrants*, sont *livrés* au client. Une mesure périodique, statistique ou unitaire, du niveau de satisfaction est réalisée. La corrélation entre le degré de satisfaction et les nouveaux besoins et attentes des clients est faite.

Le cycle de la qualité dans les services

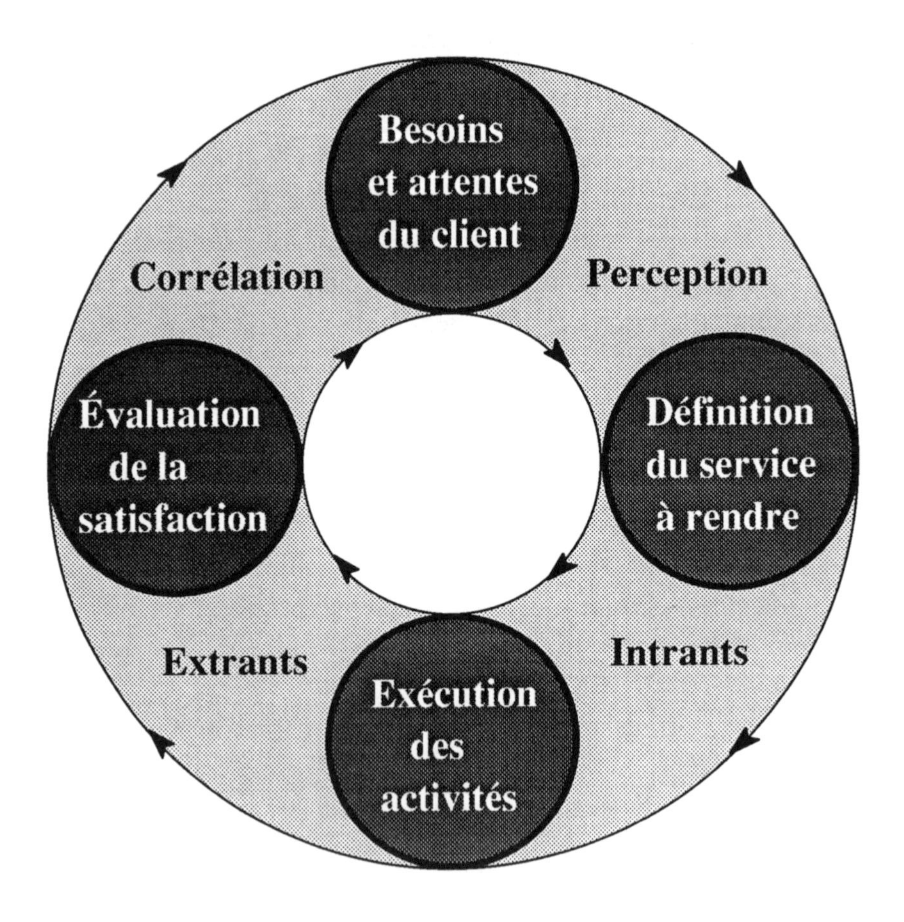

Figure 24

Dans la perception et la définition du service à rendre, la qualité *se crée.* Dans le choix des *intrants,* la qualité *se prépare.* Dans l'exécution des activités, la qualité *se réalise.*

Le déploiement de la fonction qualité (DFQ)

Un instrument de plus en plus utilisé dans les entreprises manufacturières, le DFQ est une technique par laquelle une entreprise de services peut se contraindre à connaître les attentes du client et à étudier ses relations avec les caractéristiques des services offerts, c'est-à-dire les réactions de l'organisation à répondre à ces attentes.

La figure 25 de la page suivante illustre le déploiement de la fonction qualité dans une institution bancaire. Le dessin comprend à la base quatre parties auxquelles d'autres peuvent se greffer. Dans un premier temps, la liste des attentes des clients est dressée. Il s'agit non seulement d'identifier la convenance du service aux besoins du client mais de déterminer aussi ce qui le séduira, ce qui l'enchantera. Dans un deuxième temps, une liste des activités, des composantes ou des caractéristiques du service telles que vues à l'interne, est dressée. Des relations plus ou moins fortes sont établies au croisement des lignes de la matrice ainsi formée. Pour chaque caractéristique, des valeurs-cibles sont établies et enfin, un niveau de difficulté est déterminé.

Le dessin de la page suivante illustre le déploiement de la fonction qualité pour une institution financière à multiples points de service.

Le déploiement de la fonction qualité

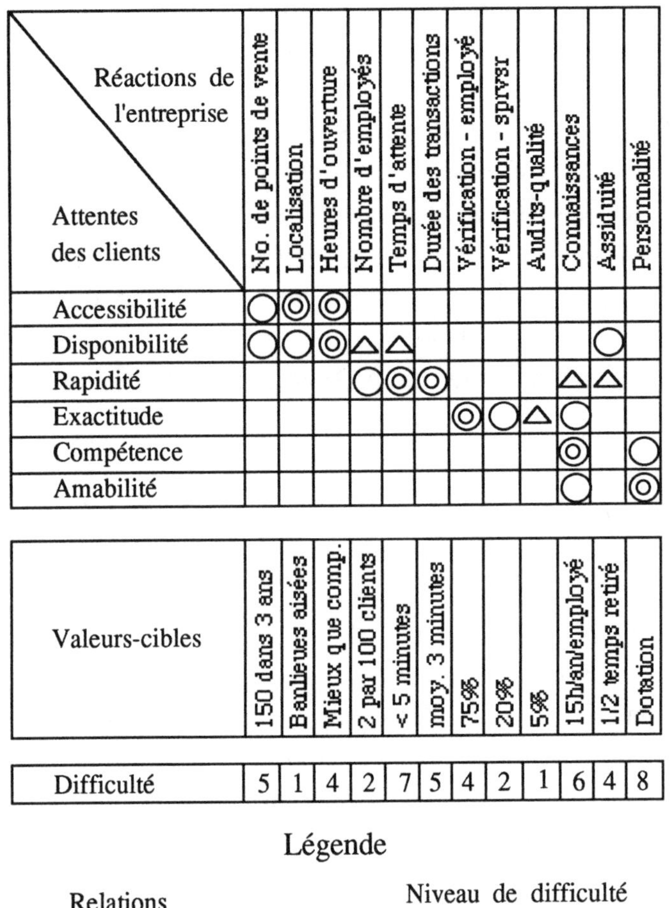

Attentes des clients \ Réactions de l'entreprise	No. de points de vente	Localisation	Heures d'ouverture	Nombre d'employés	Temps d'attente	Durée des transactions	Vérification - employé	Vérification - sprvsr	Audits-qualité	Connaissances	Assiduité	Personnalité
Accessibilité	○	◎	◎									
Disponibilité	○	○	◎	△	△						○	
Rapidité				○	◎	◎				△	△	
Exactitude							◎	○	△	○		
Compétence										◎		○
Amabilité										○		◎
Valeurs-cibles	150 dans 3 ans	Banlieues aisées	Mieux que comp.	2 par 100 clients	< 5 minutes	moy. 3 minutes	75%	20%	5%	15h/an/employé	1/2 temps retiré	Dotation
Difficulté	5	1	4	2	7	5	4	2	1	6	4	8

Légende

Relations

◎ Forte

○ Moyenne

△ Faible

Niveau de difficulté pour l'entreprise

10 ⟵⟶ 1

Très difficile — Facile

Figure 25

Voici un exemple d'entreprise qui devrait utiliser la technique du DFQ. Dans un établissement de vente de matériaux de rénovation, les clients doivent s'adresser au comptoir de service pour qu'une commande sommaire et un laissez-passer soient préparés avant de cueillir les matériaux dans la cour arrière où sont situés les entrepôts. Un client se présente au magasin et demande à acheter un coupe-froid sous forme de pellicule de polythène, en rouleau, d'une épaisseur spécifiée. Après avoir payé, franchi le poste de contrôle et s'être rendu en voiture jusqu'à l'entrepôt annexé au magasin à l'arrière, le client apprend d'un manutentionnaire qu'il y a rupture de stock dans l'épaisseur spécifiée, c'est-à-dire que toute la marchandise a été vendue mais qu'il en reste d'une épaisseur moindre.

Une porte à franchir et le client se retrouve dans le magasin (le comptoir de service se trouvait tout près de l'entrepôt). Le commis interroge son écran d'ordinateur à nouveau pour connaître le prix du polythène de moindre épaisseur. Le prix est supérieur. Il s'agit de toute évidence d'une erreur. C'est alors que le client lance : “ À quoi vous sert votre système d'ordinateur s'il ne donne pas les bons prix et s'il ne vous permet pas de connaître à tout moment votre inventaire ? Et pourquoi a-t-il fallu que je fasse tout un circuit pour aboutir dans votre entrepôt, situé immédiatement de l'autre côté de cette porte, pour y prendre un petit rouleau de polythène ? ” Et le commis de répondre : “ Il faudrait poser la question à nos *boss* au siège social de la Compagnie... ”

Dans l'optimisation du processus client-fournisseur, des questions-clés sont posées :

- Peut-on simplifier le processus client-fournisseur ?

- Peut-on réduire les contrôles (qui sont coûteux) ?
- Peut-on améliorer ce qu'on croit déjà bien faire ?
- Peut-on intégrer aux fonctions d'exécution l'évaluation de la qualité et la correction des défaillances ?

Répondre à ces questions commande une remise en question dans un acte d'humilité. Bien sûr, la *vieille garde* s'objectera à la révision des méthodes qui ont fait leurs preuves dans le passé. La qualité totale ne peut être réalisée sans simplifier et rationaliser le processus client-fournisseur.

Les diagrammes des fonctions et des activités

L'optimisation commande souvent le tracé d'un diagramme du processus. La tendance serait de tracer un dessin fonctionnel comme suit :

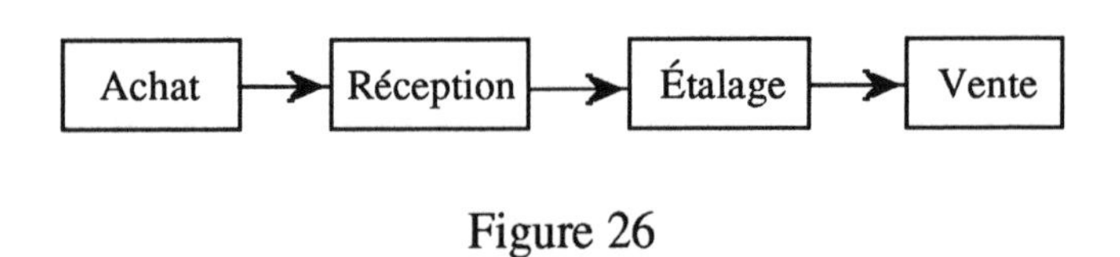

Figure 26

Si un tel diagramme était utilisé tel quel, les manquements à la qualité seraient invariablement attribués à des secteurs spécifiques de l'organisation. Ces secteurs risqueraient alors d'être allègrement blâmés.

Il faut pointer des activités plutôt que des secteurs. Dans une recherche de simplification des processus, un dessin illustrant en détail toutes les activités nécessaires depuis, par exemple, le relevé d'inventaire jusqu'à la livraison, doit être tracé. De cette façon, il sera plus facile de distinguer les activités essentielles de celles qui le sont moins, et de pointer les endroits du processus où les manquements se produisent :

Le diagramme des activités

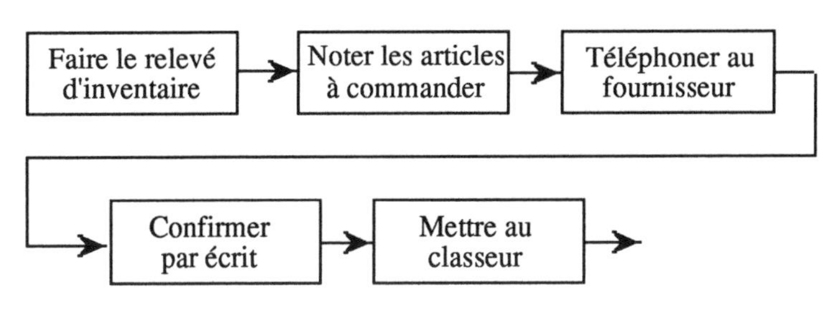

Figure 27

Ce diagramme peut être continué et détaillé à l'infini pour mieux pointer les points faibles du processus, le rationaliser, le simplifier...

Une évaluation externe

Une bonne gestion de la qualité se traduit par des pratiques qui assurent et maintiennent des normes élevées d'excellence.

Des évaluations objectives, effectuées par une personne non associée au projet permettent souvent d'en réaliser les faiblesses et les défaillances. Dans une grande firme québécoise de consultation en finances et tenue de livres, un conseiller de l'entreprise, non associé au projet, va jusqu'à visiter le client. Il évalue avec lui son niveau de satisfaction après une intervention. Tous les projets sont traités de cette façon. Les clients sont enchantés du souci manifesté par l'organisation de bien répondre à leurs attentes.

Qui peut prétendre être dans l'impossibilité d'imiter cet exemple ?

Chapitre 8

La norme ISO 9000

Jusqu'ici mieux connue par ses normes adressées à l'industrie manufacturière, l'Organisation internationale de normalisation - ISO (International Standards Organization) a récemment publié un guide d'assurance de la qualité dans les services.

L'ISO reconnaît que les manquements à la qualité affectent aussi bien le client que le fournisseur de services. L'organisme souligne la responsabilité de la direction de l'entreprise (le fournisseur) à tout mettre en œuvre pour prévenir ces manquements. La création et la maintenance de la qualité de service sont donc tributaires d'un système de gestion axé sur la connaissance et sur la satisfaction des besoins du client, besoins exprimés ou non.

La qualité de service se manifeste dans les relations entre le personnel du fournisseur et celui du client. Cette relation peut aussi se manifester à travers un système technique (guichet automatique, par exemple).

La norme ISO/DIS 9004-2 stipule qu'un service semble toujours lié à un produit. Convenons que l'importance du produit varie considérablement. La figure suivante illustre trois types de relations plus ou moins importantes entre le service proprement dit et le produit :

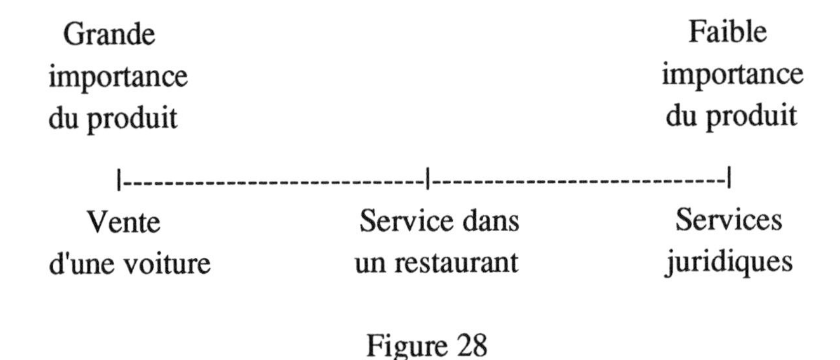

Figure 28

Il est reconnu que la gestion de la qualité appliquée intégralement représente des opportunités clairement définies :

- amélioration de la productivité de l'entreprise ;
- réduction des coûts d'exploitation ;
- percées nouvelles sur le marché ;
- amélioration de la qualité de service au client.

Pour bénéficier de ces opportunités, le système de gestion de la qualité doit aussi tenir compte des aspects humains :

- maîtriser le processus *social* dans le service à rendre ;
- considérer les relations inter-personnelles comme importantes dans la recherche de qualité ;
- reconnaître l'importance de la perception du client quant à l'image projetée par l'organisation, sa culture et son efficacité en général ;

- motiver les employés ;
- développer leurs habiletés à satisfaire les attentes du client.

Les principes, concepts et éléments d'exploitation mis de l'avant par l'ISO sont valables pour une petite entreprise aussi bien que pour une organisation de grande envergure. Seule la taille de la structure administrative du programme variera.

Les caractéristiques d'un service

Dès le départ, il semble important de définir les caractéristiques observables du service pouvant faire l'objet d'une évaluation par le client. Ces caractéristiques doivent inclure le processus de livraison du service. À ce chapitre, notons que le client peut n'être témoin que du résultat et ignorer tout du processus de livraison. Dans ce cas, le client juge la performance du système de livraison par les résultats *observables.* Qu'il s'agisse du service lui-même ou du processus de livraison, des mesures objectives doivent permettre de comparer les résultats obtenus avec des normes de qualité souhaitée.

Ces normes peuvent être quantitatives (mesurables) ou qualitatives (qualité comparée). Notons que plusieurs caractéristiques intangibles ou d'ordre esthétique, évaluées subjectivement par le client, font souvent l'objet d'une mesure objective par le fournisseur.

Voici des exemples de caractéristiques de service pouvant faire l'objet de normes à respecter :

- systèmes techniques, capacité opérationnelle du processus, nombre d'employés, nombre de points de service ;

- temps d'attente, temps d'exécution, temps de livraison ;
- hygiène, sécurité, fiabilité, sûreté ;
- accessibilité, confort, aspects esthétiques de l'environnement,
- promptitude, courtoisie, compétence, exactitude, conformité aux règles de l'art, crédibilité, communication...

Les éléments clés du système de qualité

La gestion intégrale de la qualité implique une multitude de tâches variées mais toutes orientées vers la satisfaction du client.

Le système peut être illustré par la figure suivante :

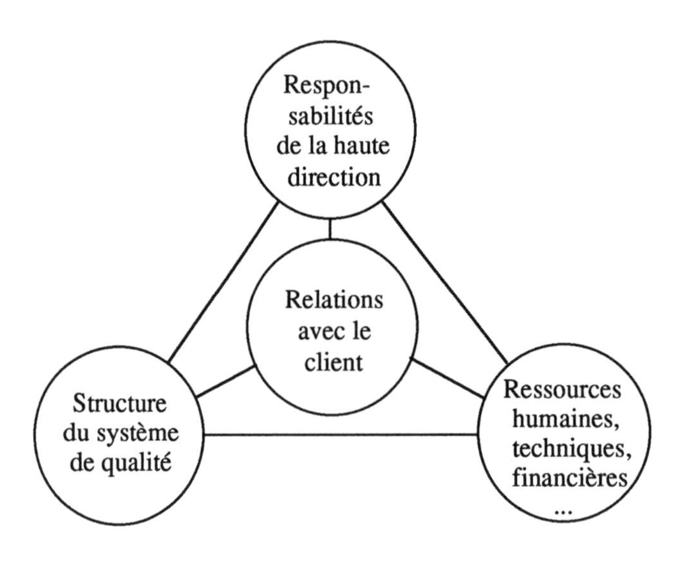

Figure 29

Les responsabilités de la direction

La responsabilité principale de la plus haute direction est de définir la politique de l'entreprise en matière de qualité :

- niveau de qualité de service recherché ;
- image projetée et réputation enviée ;
- objectifs bien définis en regard des caractéristiques identifiées ;
- rôles imputés à certaines fonctions dans la mise en place et le suivi du système.

En second lieu, la direction doit définir de grands objectifs de qualité dont les principales cibles seront :

- satisfaction de la clientèle par une bonne qualité de service ;
- protection de l'environnement et de la société en général ;
- efficacité de l'organisation à rendre les services.

Enfin, ces grands objectifs doivent se traduire par d'autres plus spécifiques, comme :

- définir clairement les besoins du client, exprimés ou non, selon des termes mesurables ;
- poser des gestes *préventifs* pour éviter le mécontentement du client quant au service rendu, et pour assurer la fiabilité et la sécurité du système ;
- optimiser les coûts pour les niveaux de service et de qualité recherchés ;
- développer un engagement collectif dans les objectifs de qualité chez tous les intervenants ;

- prévoir une revue périodique des spécifications et de la situation actuelle en vue d'améliorer le service ;
- prévenir les effets négatifs dans la société et dans l'environnement.

La direction doit aussi déléguer des responsabilités selon des lignes d'autorité, tout en se réservant un droit de regard, par des *audits-qualité*, sur toute la mise en place et le fonctionnement du programme.

Les lignes d'autorité et de responsabilités

Selon l'ISO, la haute direction doit mettre en place une structure permettant l'intégration de la politique de qualité de service à tous les niveaux de l'organisation. Un officier supérieur a, par exemple, la responsabilité de définir et de surveiller le bon fonctionnement du système d'assurance de la qualité et les mécanismes d'évaluation .

Des responsabilités spécifiques sont données à tous les intervenants susceptibles d'influencer la qualité du service.

La direction procède à des audits-qualité périodiques afin d'évaluer les résultats obtenus aussi bien que les processus d'assurance de la qualité.

Les ressources humaines

À ce chapitre, les critères d'embauche doivent inclure, au-delà des connaissances et des aptitudes, la volonté d'exceller. Dans l'exercice des fonctions courantes, la motivation est unanimement reconnue comme primordiale pour accéder à un haut niveau de qualité de service. L'implication des employés doit se faire de multiples façons : développement de stratégies, projets d'amélioration, évaluation du rendement..., et par la formation, la communication, la consultation...

La boucle du système de qualité

La figure 30 de la page suivante illustre les principales étapes du processus de fonctionnement du système de qualité, depuis la perception du besoin jusqu'à l'évaluation de la satisfaction du client.

L'évaluation des fournisseurs signifie la vérification de leur capacité à se conformer aux exigences du programme de qualité. Leur propre programme d'assurance de la qualité peut être comparé à celui de l'entreprise (cliente). Des normes spécifiques peuvent même régir leurs livraisons.

La documentation comprend :

- le *Manuel de la qualité* ;
- la stratégie ;
- le plan d'action ;
- les modalités de mise en place et de fonctionnement du système ;
- les responsabilités et les lignes d'autorité ;
- les formulaires d'évaluation ;
- les résultats de l'évaluation présentés sous forme de tableaux et de graphiques.

La boucle du système de qualité

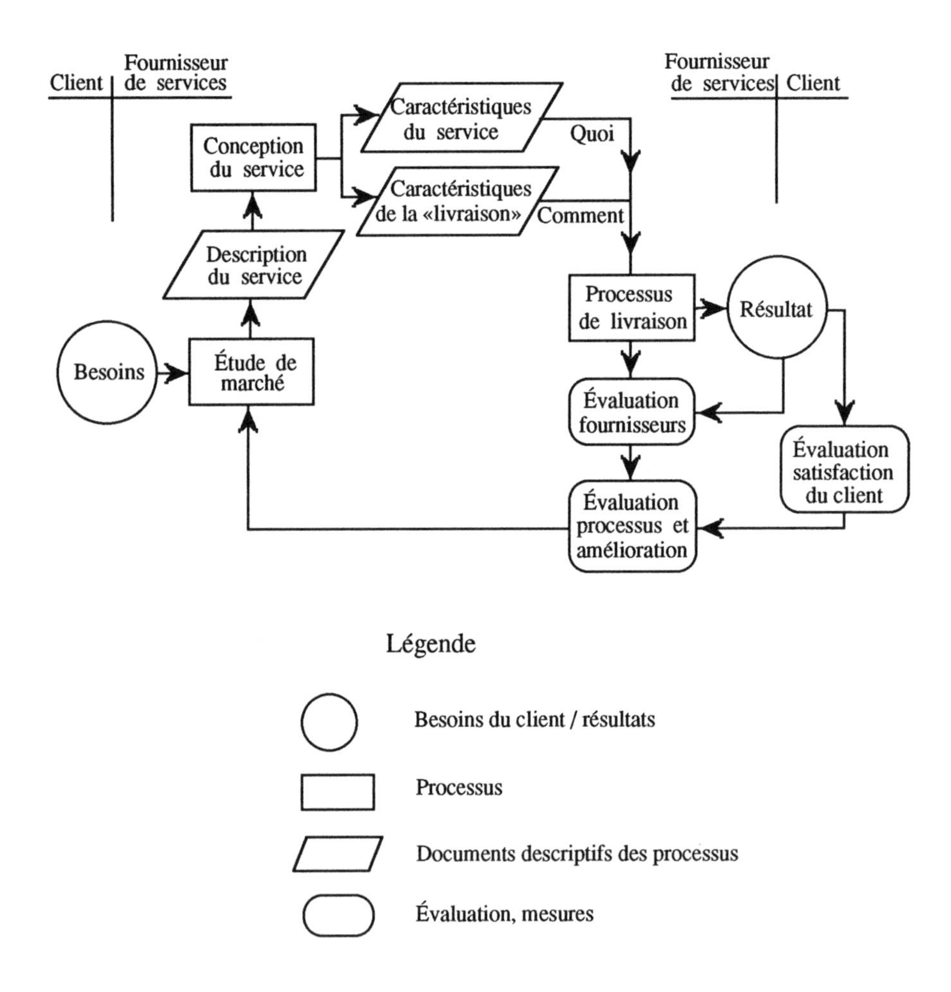

Figure 30

Chapitre 9

Des expériences vécues

L'approche décrite dans ce livre a été maintes fois éprouvée par des expériences pratiques en entreprise. Soulignons que la démarche n'a cependant pas toujours généré les résultats espérés. Sans fausse modestie, nous pouvons affirmer que cette approche a cependant, dans tous les cas, provoqué des changements dans le sens souhaité : le client a été mieux servi, la mobilisation des employés a été manifeste, et l'efficacité de l'organisation s'est accrue.

Techni+Contact

Importateur de composantes électroniques, fils et câbles, fiches de raccord et accessoires les plus variés pour systèmes de son et d'image..., Techni+Contact recrute sa clientèle auprès de magasins de détail spécialisés dans la vente d'appareils vidéo et audio. Au fil d'une dizaine d'années d'existence, l'entreprise a su s'imposer dans un marché difficile grâce au dynamisme de ses employés. Techni+Contact réalise maintenant un chiffre d'affaires annuel de plus de 2 millions $.

Soucieuse de mettre en place les principes de la qualité totale, la direction de Techni+Contact a voulu, dans un premier temps, connaître le taux de satisfaction de ses clients, puis mobiliser son personnel selon les résultats de l'étude.

Un formulaire d'enquête de satisfaction a été préparé à cette fin (figure 31) :

ENQUÊTE DE SATISFACTION
AUPRÈS DES CLIENTS DE TECHNI+CONTACT

Comment jugez-vous la qualité de service de TECHNI+CONTACT ?	Excellent	Bien	Passable	Faible	Mauvais
	☐	☐	☐	☐	☐

Comment considérez-vous...	Excellent	Bien	Passable	Faible	Mauvais
• la gamme des produits offerts ?	☐	☐	☐	☐	☐
• la fréquence des visites du représentant ?	☐	☐	☐	☐	☐
• La qualité de travail du représentant ?	☐	☐	☐	☐	☐
• la facilité d'accès au bureau des commandes (téléphone 1-800, télécopieur, etc.) ?	☐	☐	☐	☐	☐
• l'amabilité du personnel de bureau ?	☐	☐	☐	☐	☐
• la rapidité de la livraison ?	☐	☐	☐	☐	☐
• la livraison sans erreurs de vos commandes?	☐	☐	☐	☐	☐
• les marges de profit que vous réalisez sur les produits vendus par TECHNI+CONTACT ?	☐	☐	☐	☐	☐

Figure 31

37 p. cent des clients ont retourné les formulaires complétés. Voici le sommaire des résultats de l'enquête de satisfaction :

Ce que les clients apprécient
de TECHNI+CONTACT

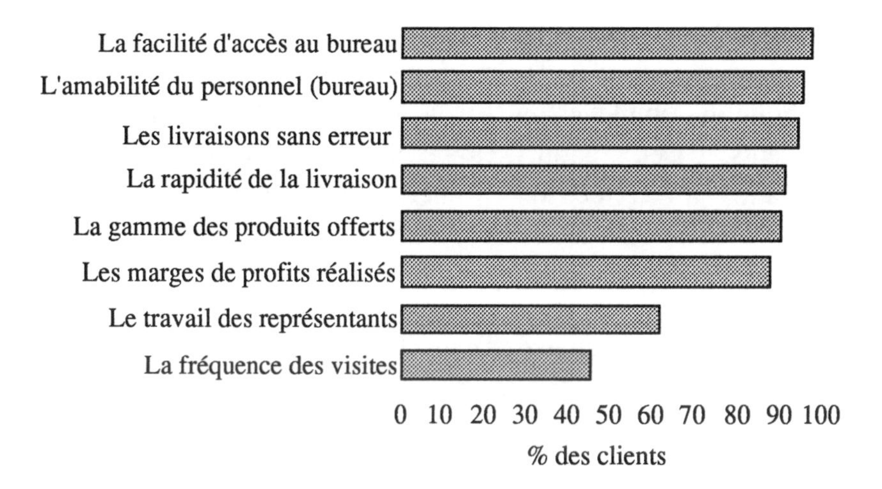

Figure 32

La direction de Techni+Contact s'est vue surprise par la marque d'appréciation des clients pour un accès facile, direct et gratuit pour obtenir des renseignements sur les produits et pour les commander. Il s'agissait là, avons-nous souligné, d'un des principaux atouts de l'entreprise devant être exploité pleinement.

L'élément le plus faible de l'entreprise s'est situé au chapitre de la représentation *sur la route*. La fréquence des visites et la qualité du travail des représentants semblaient en cause. La facilité d'accès au bureau, par téléphone ou par télécopieur, fournissait un élément d'explication à la situation : les clients préfèrent communiquer par téléphone sur-le-champ lorsqu'ils ont besoin de renseignements. La direction de l'entreprise a par la suite réorienté le travail des représentants vers la prospection de nouveaux clients plutôt que vers des *visites de courtoisie*, comme la tradition le voulait.

La direction de Techni+Contact s'est réjouie de voir l'amabilité des employés du bureau soulignée aussi clairement par les clients. Deux parmi ces derniers ont même annoté leur formulaire à l'effet que, chez tous leurs fournisseurs, Techni+Contact était le seul où, à chaque occasion, ils pouvaient s'adresser à des gens toujours de bonne humeur !

Lorsque les résultats de l'enquête ont été présentés à tous les employés réunis, le personnel du bureau (spécialement les préposé(e)s aux commandes), n'ont pas manqué l'occasion de narguer les représentants...

La caisse populaire de la Maison de Radio-Canada
(lauréate du prix IRIS en 1990)

Dans l'histoire de la Confédération des caisses populaires Desjardins, cet établissement fut le premier à être frappé par un conflit de travail. La grève déclenchée par ses employés regroupés en syndicat, fut désastreuse. La clientèle de la caisse, recrutée essentiellement parmi le personnel de la Société d'État, a dû s'adresser à d'autres points de services du réseau pour avoir accès à ses comptes, ou les fermer et transiger avec une autre institution financière. La haute direction de la Confédération s'inquiétait des répercussions possibles sur le climat de travail des autres caisses.

En 1983, la caisse populaire de la Maison de Radio-Canada avait un déficit accumulé de 500 000,00 $, sans aucune réserve financière. La très grande majorité des *sociétaires* ne s'y présentaient que pour encaisser leurs chèques de paie, préférant négocier les emprunts hypothécaires ou autres prêts dans d'autres établissements financiers. L'accueil au comptoir et l'attitude des employés au téléphone affichaient des lacunes sérieuses. L'image de la caisse était au plus sombre.

Une nouvelle gérance de la caisse a pris place avec un style de gestion plus humain et plus axé sur la participation et sur des objectifs d'amélioration de la qualité. Un colloque a été organisé avec les employés. Les clients ont été interrogés quant à leurs besoins et leurs attentes. Les employés ont été informés des résultats des enquêtes de satisfaction. Le diagnostic connu, le personnel a souhaité s'impliquer. Un plan de formation fut alors élaboré. Des changements se sont amorcés : un comptoir de service de dépannage fut mis en place, un poste de téléphoniste fut créé. Le processus d'amélioration constante de la qualité était lancé.

Des normes de qualité de service ont vu le jour :

- délai maximum de deux minutes pour le service au comptoir ;
- accès à une information précise et complète sur-le-champ ;
- maximum de trois coups de sonnerie de téléphone ;
- retour d'appel dans un délai maximum de trois heures ;
- rendez-vous assuré en moins de 24 heures.

Les résultats de la démarche sont frappants : en 1991, la caisse a vu son actif croître de 27,5 p. cent à 46 millions $ durant son dernier exercice financier alors que celui du réseau Desjardins ne s'est accru que de 5,1 p. cent. À lui seul, le portefeuille des prêts de la caisse a augmenté de 43,7 p. cent, les mauvaises créances ne représentant que 0,23 p. cent du total des prêts.

Comment la direction de la caisse a-t-elle pu provoquer un tel virage ? Voici en bref la réponse :

- une mobilisation générale de la trentaine d'employés ;
- un programme de sensibilisation et de formation ;
- le développement du réflexe *marketing* ;
- l'entrée dans un processus d'amélioration constante de la qualité ;
- la mise sur pied de comités composés de volontaires ;
- l'équipe de direction entérine les recommandations ;
- des *petits déjeuners* d'information et de consultation sont organisés ;
- les retombées des changements sont mesurées ;
- tous les employés en sont informés ;
- les succès sont célébrés.

Les indicateurs de qualité de service aussi bien que de rendement de l'entreprise sont connus de tous. À la caisse populaire de la Maison de Radio-Canada, la direction ne craint pas de dévoiler aux employés les résultats financiers. C'est le fil conducteur de toute la démarche.

Le programme de sensibilisation et de formation a pris des allures très diverses : cours sur les concepts et techniques de gestion de la qualité et de résolution de problèmes, cours sur la vente, allocutions par des conférenciers invités, participation à des colloques, et enfin, un journal interne, *Le Folio.*

Ces derniers temps, la formule de petites cellules composées d'une ou deux personnes, a gagné en popularité dans la recherche des améliorations. Ces très petits groupes travaillent sur des cibles précises. Il n'en demeure pas moins que leurs efforts s'inscrivent toujours dans une perspective de gestion participative : l'intégration de leurs recommandations dans le processus de travail doit rencontrer l'assentiment général.

Le Trust Royal

Trois forces conjuguées, la croissance rapide de ses coûts d'exploitation, la vive concurrence que se livrent les institutions financières et le souci de la direction d'offrir un service sans faille à sa clientèle externe aussi bien qu'interne, ont contraint le Trust Royal à réviser certaines de ses méthodes de gestion.

En octobre 1990, le vice-président, administration et planification, lançait un projet pilote de mise en place de la qualité totale dans trois services : exploitation des prêts, informatique de gestion, et actif immobilier et groupe de soutien. 125 employés allaient être mobilisés dans un effort d'amélioration de la qualité des services. Ce projet suivait une période difficile de réduction des effectifs qui avait passablement secoué le climat de travail et le moral des employés.

Le processus de mise en place de la qualité totale s'est articulé selon trois vecteurs : mobilisation des ressources humaines, mesure des impacts de la non-qualité et optimisation des processus.

Pour diffuser les concepts et techniques de la qualité totale, et même inculquer de nouvelles valeurs culturelles aux employés, un programme de formation a été mis sur pied. Tous les employés des trois services visés ont participé, par groupes d'une douzaine à la fois, à des séminaires de formation de deux jours.

Les principaux thèmes abordés durant la formation étaient les suivants :

a) ce qu'on entend par la qualité de service ;
b) pourquoi la qualité est si nécessaire ;
c) comment mobiliser le personnel vers l'excellence ;
d) comment définir des indicateurs de qualité de service ;
e) comment mesurer quantitativement et qualitativement la qualité ;
f) comment analyser les données et tirer des conclusions ;
g) comment simplifier et rationaliser le processus client-fournisseur.

Durant les quelque 15 heures de formation du séminaire, les participants ont été impliqués dans des études de cas adaptés au contexte de leurs activités de travail. Plusieurs vidéos les ont amenés à réfléchir sur les conséquences dramatiques de la non-qualité. Ils ont été appelés à identifier eux-mêmes les actions qu'ils pouvaient mettre en œuvre pour améliorer la qualité du service. Ils ont eu aussi l'opportunité de souligner à la direction les problèmes auxquels elle devrait s'attaquer afin d'améliorer la qualité, le climat et les méthodes de travail. Pour faciliter l'expression des problèmes, deux moyens ont été privilégiés : les annotations anonymes sur un formulaire spécial, et des sessions de *remue-méninges* qui ont permis de dresser des listes impressionnantes de problèmes à résoudre... et autant de solutions!

La formation des cadres de supervision a été augmentée d'une session spéciale d'une journée pour développer leurs habiletés de communication, d'animation et de conduite de réunion.

À la suite de la période de formation, trois *Comités ad-hoc* et deux *Cercles d'Excellence* ont été formés. Ces cercles se réunissent régulièrement, une heure par semaine durant les heures régulières de travail, pour analyser et solutionner des problèmes de qualité de service et pour revoir les méthodes de fonctionnement des équipes de travail.

Une stagiaire en production de l'École des Hautes études commerciales a identifié, pendant quelques semaines, des manquements à la qualité tout en y imputant des coûts. L'exercice s'est avéré révélateur de l'ampleur des manquements sur la qualité de service et sur l'efficacité des équipes de travail.

B-Sol Ltée (lauréate d'un Mercure en 1991)

Spécialisée dans les études environnementales et des sols, l'entreprise a ses deux principales places d'affaires à Baie-Comeau et Sept-Îles, sur la côte nord du fleuve Saint-Laurent. Les deux principaux actionnaires, deux ingénieurs, considèrent la qualité comme la stratégie la plus valable qui soit. Après avoir participé à Montréal à une session de formation de trois jours sur les concepts et techniques de gestion de la qualité, ils ont rapidement mis au point un plan d'action pour mobiliser toutes les énergies vers la satisfaction des clients.

Dans un premier temps, il fallait connaître la perception des clients quant à la qualité des services rendus. Un questionnaire-enquête-de-satisfaction a été préparé (voir figure 33 à la page suivante, pour une reproduction partielle du questionnaire). Au terme de chaque mandat confié à B-Sol, ce questionnaire allait permettre de mesurer le taux de satisfaction du client. Soulignons que la collaboration de la clientèle a été excellente.

Évaluation du chargé de projet

	Faible	Passable	Bien	Très bien	Excellent
• Compréhension et suivi du mandat	☐	☐	☐	☐	☐
• Respect des directives du client	☐	☐	☐	☐	☐
• Rapidité d'exécution	☐	☐	☐	☐	☐
• Diligence dans la préparation des rapports	☐	☐	☐	☐	☐
• Traitement des non-conformités	☐	☐	☐	☐	☐
• Relations avec les intervenants	☐	☐	☐	☐	☐
• Retour des appels téléphoniques	☐	☐	☐	☐	☐

Évaluation du personnel technique

	Faible	Passable	Bien	Très bien	Excellent
• Maintien et attitude générale	☐	☐	☐	☐	☐
• Respect des directives du client	☐	☐	☐	☐	☐
• Connaissance des plans et devis	☐	☐	☐	☐	☐
• Traitement des non-conformités	☐	☐	☐	☐	☐
• Respect des règlements du chantier	☐	☐	☐	☐	☐
• Relations avec les intervenants	☐	☐	☐	☐	☐

Évaluation du personnel clérical et administratif

	Faible	Passable	Bien	Très bien	Excellent
• Courtoisie du personnel de réception	☐	☐	☐	☐	☐
• Accueil au téléphone/délais d'attente	☐	☐	☐	☐	☐
• Courtoisie du personnel administratif	☐	☐	☐	☐	☐
• Clarté, précision, qualité des informations	☐	☐	☐	☐	☐

Évaluation de la qualité des documents

	Faible	Passable	Bien	Très bien	Excellent
• Respect des objectifs du mandat	☐	☐	☐	☐	☐
• Clarté, précision	☐	☐	☐	☐	☐
• Qualité des recommandations	☐	☐	☐	☐	☐
• Qualité des textes	☐	☐	☐	☐	☐
• Qualité de la présentation	☐	☐	☐	☐	☐
• Respect des échéances	☐	☐	☐	☐	☐

Figure 33

Dans un deuxième temps, la formation reçue par les deux dirigeants a été dispensée au personnel-cadre sur place. Cet exercice fut perçu comme une marque de considération à leur égard et une grande volonté des principaux actionnaires d'intégrer les principes de la qualité totale à l'organisation.

D'autres acquisitions de connaissances, au plan technique et de maîtrise des outils informatiques, se sont par la suite ajoutées.

Dans cette démarche de qualité totale, la collaboration des employés a été... totale ! Les objectifs visés au départ ne se démentirent pas : la motivation des employés et le taux de satisfaction des clients augmentèrent considérablement.

Les Rôtisseries Saint-Hubert

Cette chaîne de restaurants tient une grande part de son succès à son service de livraison à domicile. D'un départ modeste en 1951 sur la rue du même nom à Montréal, les Rôtisseries Saint-Hubert s'étendent sur un réseau de 125 établissements établis dans les principaux centres urbains de l'est du Canada.

Le personnel de Saint-Hubert est persuadé de fournir un service de qualité à ses clients. Mais, comme c'est fréquemment le cas dans une entreprise de services, la qualité perçue à l'interne est différente de la qualité perçue par la clientèle.

Dans la grande agglomération de Montréal, les clients qui souhaitent se voir livrer un repas de poulet, n'ont qu'à composer un seul numéro de téléphone. Au poste central téléphonique, l'ordinateur détermine automatiquement le nom et l'adresse du client. La commande reçue est par la suite acheminée en moins de soixante secondes, par télécommunication, à l'établissement le plus près du client pour y être préparée puis livrée.

Une étude des plaintes des clients, portant sur une période de quatre semaines, révélait les insatisfactions suivantes :

- Les retards dans la livraison (75)
- La température de la nourriture (44)
- La qualité de frites envoyées (15)
- Les prix élevés (10)
- Les erreurs dans l'interprétation de la commande (4)
- La présentation de l'« assiette » livrée (2).

Dans l'esprit d'une illustration plus claire de l'importance relative des différentes plaintes, un diagramme de Pareto a été préparé. À noter qu'aucun coût ni facteur de pondération n'ont pu être associés aux plaintes dans le cadre de cette étude. Ce diagramme paraît à la figure 34 de la page suivante.

Le deuxième plus important type de plaintes, soit la température de la nourriture, dépend évidemment des délais de livraison. Il paraissait donc nécessaire de revoir tout le processus de livraison afin de tenter de l'accélérer. Mais avant de penser à optimiser les méthodes, la situation devait être définie plus clairement. Sans une deuxième étude, le jugement de valeur aurait été sans fondement.

La direction avait fixé la norme, quant aux délais de livraison, à 45 minutes après la réception de l'appel du client. La concurrence se faisant de plus en plus serrée (livraison en moins de trente minutes) et les clients devenant plus exigeants, les délais de livraison devaient être améliorés.

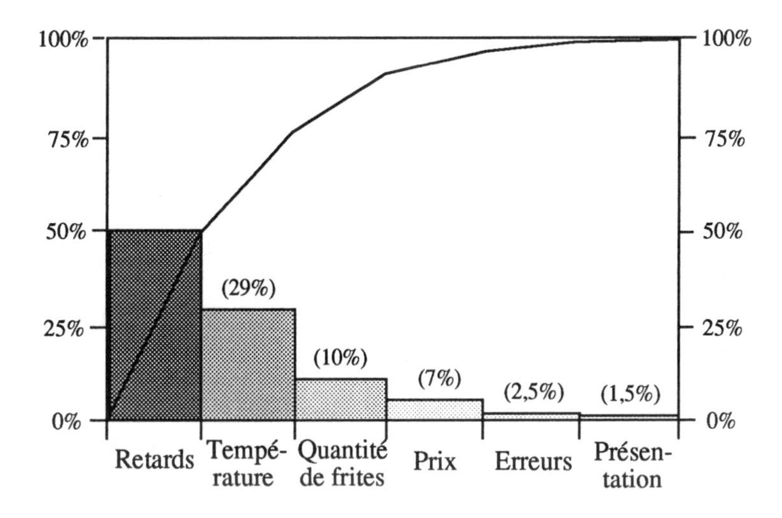

Figure 34

Cette deuxième étude a porté sur le traitement de 79 commandes reçues dans la même journée, au même établissement. Un diagramme complet des activités fut tracé, décrivant toutes les étapes du processus. Selon le modèle inspiré de l'industrie manufacturière, une *carte de contrôle* a permis de noter le chronométrage précis de chacune des étapes. Une carte moyenne-étendue, telle que prescrite par les règles de l'analyse statistique, a été préparée. Les calculs ont établi la capacité opérationnelle du processus comme suit :

- délai moyen de livraison : 38 minutes
- étendue moyenne : 17,3 minutes

- limite supérieure de contrôle : 55,7 minutes
- limite inférieure de contrôle : 20,3 minutes

De façon générale, un délai de vingt minutes est alloué pour la préparation des commandes et ce, à compter de la réception de l'appel à la rôtisserie jusqu'au départ du livreur. Lorsqu'une rôtisserie a un délai de livraison trop grand, soit par manque de livreurs ou à cause d'un trop grand achalandage, elle en avertit la préposée au central téléphonique qui en avise les clients. Quand les délais de livraison redeviennent normaux, la préposée en est de nouveau avisée.

Si, par moment, aucun livreur n'est disponible, la préposée en rôtisserie peut retarder la mise en route d'une commande à la cuisine pour ne pas encombrer le réchaud et fournir un repas fraîchement cuit. Cette pratique peut occasionnellement avoir une incidence sur les livraisons. Un livreur, par exemple, a dû attendre une dizaine de minutes pour compléter toutes les commandes à livrer sur une même route. À un autre moment, 13 repas attendaient d'être livrés, faute de livreur.

Pour accélérer la livraison des repas commandés par téléphone, le plan d'action suivant a été retenu :

1. préparer un *Énoncé de mission* pour chacun des services ;
2. rencontrer tous les employés, par petits groupes, pour leur faire part de la situation et recueillir leurs commentaires et suggestions ;
3. recruter de nouveaux livreurs occasionnels ;
4. insister auprès des livreurs quant à l'importance d'une livraison rapide, et du respect des routes établies ;

5. évaluer la compétence des répartiteurs dans leurs fonctions, les former ou les muter au besoin dans des fonctions correspondant davantage à leurs qualifications ;
6. encourager les employés à travailler en équipe, avec comme objectif d'obtenir la qualité du premier coup à tout coup ;
7. réduire le temps de traitement des commandes et de préparation des repas de 20 minutes à 15 minutes ;
8. rédiger de nouvelles procédures, plus précises et accessibles à tous ;
9. préparer un manuel de la qualité qui formalise le système d'assurance de la qualité ;
10. modifier le rapport de livraison afin de faire plus facilement des études de temps d'exécution des tâches.

À moyen terme, des *Équipes d'amélioration de la qualité* allaient être formées pour réévaluer continuellement le processus et chercher à l'améliorer.

À plus long terme, des changements dans l'aménagement des cuisines allaient être considérés. Sur un autre plan, un système informatisé de tracés de routes plus efficaces allait être envisagé (afin de contrer la difficulté que rencontraient les répartiteurs à regrouper adéquatement les livraisons dans des territoires géographiques précis). Dans les périodes de faible achalandage, l'utilisation des réceptionnistes du central téléphonique allait enfin être considérée pour faire des enquêtes de satisfaction auprès des clients.

Chapitre 10

Des changements profonds dans la philosophie de gestion

Nous avons longtemps cru aux vertus de la gestion par objectifs, par résultats, et l'avons reconnue comme la vraie façon de mobiliser les ressources humaines. Exerçant leur droit de gérance, les directions faisaient accepter des objectifs parfois irréalistes à leurs employés. Les cibles quantitatives étaient, tant bien que mal, atteintes. Les autres aspects du travail, comme la qualité du service au client, les communications interpersonnelles, les relations avec la clientèle..., laissaient à désirer. Que faire pour y remédier ? Cogestion ou gestion participative ? Comme nous l'avons souligné plus avant dans ce livre, le partage des enjeux d'affaires avec les employés, étalés dans des termes qui les rejoignent, ne peut que développer chez eux le *désir du combattant...*

Six modes d'influence pour redresser une situation problème

Les directions utilisent quotidiennement leur pouvoir pour modifier le cours des activités au sein de leur organisation. Les haut-gestionnaires connaissent les contraintes de la conjoncture économique, les forces du marché, les besoins des clients, les faiblesses de la concurrence... Elles mettent alors en œuvre un plan stratégique de développement de l'entreprise.

Lorsque des clients se plaignent de la mauvaise qualité des services reçus, ou que des problèmes surgissent à l'interne, les gestionnaires utilisent de la même façon leur pouvoir pour corriger la situation.

Essentiellement, six modes d'influence s'offrent à eux :

1. L'imposition
2. Le conditionnement
3. La propagande
4. La manipulation
5. L'exemple
6. La participation

L'imposition

Elle s'inscrit dans le contexte *taylorien* traditionnel : la direction planifie, organise, dirige, contrôle... Les employés n'ont d'autres choix que d'exécuter les directives car elles sont exprimées par une autorité *légitime* et les *ordres* sont implicitement appuyés d'un système de récompenses - punitions.

En situation de crise, les directions n'ont souvent d'autres choix que d'imposer un plan de redressement qu'elles ont conçu sans consultation avec les personnes concernées. Mais si ce mode d'influence se répète fréquemment, la démobilisation s'installe. Pire, les employés se regroupent (syndicat) et opposent une force à celle de la direction (grève).

Le conditionnement

Il s'agit de l'utilisation par la direction de moyens détournés pour agir sur l'organisation sans que ce soit bien clair pour les employés. Le conditionnement s'exerce toujours en fonction des valeurs considérées importantes par les dirigeants. Faire miroiter des projets d'expansion ou des possibilités d'accéder à des postes de direction, par exemple, agit (temporairement) sur la motivation et, par conséquent, sur la productivité. Les programmes de participation au capital-action de l'entreprise vont aussi dans le sens du conditionnement. Soulignons que souvent la participation à la propriété peut être insignifiante, mais elle peut quand même produire un effet...

L'affichage *public* des tendances actuelles sous forme d'histogrammes, de tracés sur des axes : ventes, profits, taux de satisfaction de la clientèle, variations de la productivité, peut avoir un effet de conditionnement sur les employés.

La propagande

Apparentée à la publicité, la propagande fait généralement appel à des slogans comme *Bien travailler, c'est s'enrichir, Zéro défaut !, La qualité, la clé du succès*, etc. Dans la propagande, la direction choisit et même déforme au besoin l'information pour la canaliser dans le sens de ses propres valeurs.

Les affiches sur la qualité connaissent une popularité sans précédent. Les notes de services, les dépliants rappelant les thèmes stratégiques de l'entreprise en matière de qualité de service, les articles de magazines déposés dans les paniers à courrier sont tous des outils de propagande privilégiés.

Judicieusement utilisées avec modération, ces techniques de propagande influenceront les mentalités dans le sens désiré. Un usage abusif ou qui ne s'inscrit pas dans la réalité de la situation peut conduire au discrédit de la direction.

La manipulation

Malgré l'aspect *interdit* de la manipulation, il s'agit d'un mode d'influence très répandu dans nos organisations. À l'heure de la contestation des *régimes autocrates*, on voit se multiplier des *patrons-sympas* qui utilisent le pouvoir que leur confère leur statut dans l'organisation pour faire sentir les bonnes façons de faire aux employés, de façon très amicale : “ C'est très bien ce que tu fais, et je l'apprécie beaucoup.” Ces patrons jouent sur une corde sensible de l'employé : celle d'être apprécié par une personne bien en vue dans l'entreprise.

Des signes visibles comme les cadeaux acheminés aux conjoints des employés, à leur résidence, représentent aussi une forme de manipulation : “ Il est gentil ton patron, regarde, il nous a envoyé un beau cadeau à l'occasion de Noël...” - “ Ouais...”

L'affichage de la photographie de l'employé du mois, choisi et désigné par ses supérieurs et les marques de reconnaissance publique représentent parfois des gestes de manipulation, bien sûr, jamais ouvertement avoués.

L'exemple

Un modèle est choisi et présenté comme celui à imiter. La photographie de l'employé du mois, affichée publiquement, en est une illustration. Dans ce cas, la direction est la plupart du temps la seule à identifier et à définir le modèle. Il est présenté comme indiscutable.

Si le modèle est admiré par les employés, il a des chances d'être imité. Mais qu'il y ait des critiques du modèle présenté, c'est la risée, le désastre...

La participation

La direction présente aux employés, en termes *digestibles*, les enjeux d'affaires auxquels elle est confrontée.

Qu'un problème de qualité de service affectant le client externe ou le fonctionnement de l'organisation se présente, elle fait part des données du problème à tous ceux qui sont concernés. Agissant avec tact, la direction présente aux employés les effets de la situation sur la satisfaction de la clientèle, ou sur le travail des employés affectés par un service pris en faute. Ils peuvent alors être persuadés de la nécessité d'un changement. Ces employés sont invités à passer en revue leur façon d'agir, à apporter les correctifs appropriés au problème, à identifier les indicateurs de qualité dans leur unité et à lancer un processus d'amélioration continue.

Ce schème moteur - présentation des faits, des impacts et des conséquences - invitation à trouver des correctifs - incitation à améliorer constamment les méthodes et les procédés - représente un mode d'influence qui s'inscrit parfaitement dans un développement harmonieux des entreprises.

Cette forme de dialogue et de consultation entre la direction et ses employés peut s'étendre graduellement à toute l'organisation pour éventuellement voir sa culture imprégnée totalement de cette communication *ouverte.*

Il s'agit, bien sûr, d'une autre bonne occasion de jouer dans le P.A.R.C. !

Les trois lignes directrices de la qualité totale

Il paraît impossible de réussir la qualité totale sans orienter les efforts vers de grands vecteurs comme la mobilisation, la mesure et l'optimisation.

Mais des lignes directrices, à la base de plusieurs programmes de qualité totale, ont fait leurs preuves partout dans le monde. Elles sont malheureusement trop souvent encore ignorées par plusieurs dirigeants d'entreprise :

1. La formation
2. L'information
3. Le leadership de la direction.

Ces lignes directrices nous paraissent essentielles à la réussite de la qualité totale. Elles sont à ce point importantes qu'elles valent les précisions suivantes.

La formation

Depuis fort longtemps, la formation a été utilisée pour enseigner des techniques. Elle doit maintenant être aussi considérée comme un moyen privilégié pour véhiculer la culture et les valeurs de l'entreprise.

Depuis plusieurs années, de grandes entreprises comme McDonald, IBM, Xerox, Ford, et autres, l'ont compris. Sous un couvert technique, leurs sessions de formation véhiculent les principes, la philosophie, les valeurs de l'entreprise.

Bien sûr, la fonction de base de la formation demeure l'acquisition des connaissances et le développement des habiletés pour améliorer la qualité des services offerts aux clients, en réduisant les coûts d'exploitation.

L'information

Elle se présente sous deux formes : l'information descendante et celle ascendante. Lorsque la direction fait part à ses employés des enjeux d'affaires, des conséquences de la mauvaise qualité de service, elle fournit des informations vers la base. À l'inverse, lorsqu'elle consulte ou demande des renseignements, l'information est ascendante.

L'information sert essentiellement à ajuster les perceptions pour pouvoir agir correctement. Pour connaître l'exactitude de sa visée, un tireur utilisera une lunette d'approche, ou un informateur lui fera part des résultats de son tir. Le tireur peut alors corriger sa perception et atteindre la cible de façon plus précise.

Ainsi, la direction met en place des systèmes d'information pour la gestion (M.I.S.). Encore de nos jours, certains gestionnaires ne communiquent pas les renseignements, pensant qu'il s'agit là de données stratégiques qu'il faut protéger des regards de la concurrence. Dans leur crainte, ils cachent aux employés l'information qui leur permettrait de connaître les résultats de leur travail !

Le leadership de la direction

Si le premier violon d'un orchestre symphonique ne s'accorde pas sur le bon diapason, la discordance se manifestera dès les premières mesures. De même, comment les employés pourront-ils accorder leurs instruments s'ils n'ont pas la bonne note ? Comment pourront-ils ajuster leurs montres s'ils n'ont pas l'heure juste ?

Les succès en affaires de grandes entreprises de services américaines comme FEDEX, WallMart, American Express, pour n'en nommer que quelques-unes, reposent sur l'acharnement de leurs plus hauts dirigeants à inculquer aux employés leur valeur d'un service au client, exceptionnel, extraordinaire. Les membres de la direction sont présents partout, ils se promènent (*Management by Wandering Around*). Ils comprennent qu'ils doivent viser la perfection, sans toutefois jamais pouvoir l'atteindre, plutôt que viser la médiocrité... et l'atteindre à tout coup !

Trois stratégies de développement organisationnel

Dans la ligne de la gestion participative, trois stratégies ont fait leurs preuves :

1. la cueillette d'information auprès des personnes et des groupes ;
2. le feed-back à l'organisation ;
3. la planification conjointe d'actions.

La cueillette d'information

Il nous semble essentiel que la direction de l'entreprise oriente en tout temps ses antennes pour capter les messages en provenance de la base de l'organisation ou de la clientèle. Ces écoutes et ces observations peuvent, comme nous l'avons dit précédemment, simplement prendre la forme de promenades périodiques à travers les bureaux, les points de services, ou se traduire par des consultations formelles auxquelles participent de grands groupes d'employés.

Le feed-back à l'organisation

Une fois la synthèse des observations faites et l'analyse de la situation retenue, la direction en informe les cadres et les employés concernés. Encore là, la communication peut être très informelle ou canalisée à travers la structure administrative de l'organisation.

La planification conjointe d'actions

C'est la phase de ce qu'on pourrait véritablement appeler la gestion participative. Un programme d'action est alors élaboré dans un dialogue franc et ouvert. Les responsabilités de la réalisation du programme sont partagées et un échéancier est établi. De cette façon, tous se sentent associés à la situation et à la recherche d'une solution. L'adhésion aux décisions devient alors absolue presque naturellement.

Les changements culturels

Dans la culture de chaque entreprise, on trouve la vision des dirigeants, teintée de leurs préjugés et de leur ténacité à défendre des valeurs qui leur sont propres. Ces valeurs représentent des axes de développement qui se prolongent souvent très longtemps après leur retraite. La culture, c'est la façon de faire les choses, de communiquer, de percevoir la qualité comme une valeur importante à promouvoir et à défendre.

Même si les activités des entreprises semblent réglées de façon mécanique, il n'en demeure pas moins que l'implication et l'attitude des employés dans le processus de travail demeure un facteur déterminant dans la qualité des services. Face au client, l'employé est *seul à faire la qualité* ! En contact direct avec la clientèle, il, ou elle, **est le fournisseur de services** !

La philosophie de la qualité totale commande qu'un client soit satisfait par une qualité qui ne souffre d'aucun compromis et que cette qualité soit réalisée par un effort commun du personnel de l'entreprise et de ses partenaires fournisseurs. L'entreprise aura donc intérêt à propager aussi à ses fournisseurs ses valeurs culturelles en matière de qualité !

La mutation des organigrammes

Si les sociétés industrielles se transforment sous les pressions de l'automatisation de la production, les entreprises de services subissent des changements très profonds. Elles deviennent en effet, pour la plupart, des *centres d'échange d'information*, des relais. À ce titre, les relais d'information que constituent les niveaux de *management* ne font que générer du *bruit* et de la *distorsion* à l'image des moyens de communication électroniques. Dans plusieurs cas, ces relais sont devenus tout à fait inutiles et freinent systématiquement la démarche vers la *qualité totale* ! Les organigrammes mêmes de nos entreprises sont à repenser.

Permettez-nous de rapporter ici quelques réflexions de Peter Druker, tirées de son livre *Façonner l'avenir* :

L'organigramme d'un système fondé sur l'information peut sembler parfaitement conventionnel. Pourtant, une telle organisation se comporte très différemment et requiert un comportement différent de ses membres.

La structure informationnelle est ***plate****, avec moins de niveaux de management que ceux requis par les structures traditionnelles. Quand une multinationale remodela sa structure en fonction de l'information et de son flux, elle s'aperçut qu'on pouvait supprimer sept parmi les douze niveaux de management existants. Il s'avère que ces niveaux n'étaient pas des niveaux d'autorité, de prise de décision, ni même de supervision. C'étaient des relais d'information, comparables par leur fonction au relais téléphonique, qui recueille, amplifie, reformule et transmet l'information - autant de tâches qu'un « système d'information » traditionnel peut réaliser plus efficacement. Cela s'applique en particulier aux niveaux de management qui assurent la « coordination » plutôt que « l'exécution »...*

La structure axée sur l'information rend caduc le fameux principe de ***l'aire de contrôle****, selon lequel le nombre de subordonnés qui peuvent dépendre d'un supérieur est strictement limité, cinq ou six étant le maximum. Il est remplacé peu à peu par un nouveau principe :* ***l'aire de communication****. Le nombre de personnes dépendant d'un seul patron n'est limité que par la volonté des subordonnés d'accepter la responsabilité de leurs propres communications et de leurs propres relations, vers le sommet, vers la base ou latéralement. On s'aperçoit que le*

« contrôle » est la capacité d'obtenir des informations. Et un système d'information apporte cela en profondeur, avec une vitesse et une précision plus grandes qu'il ne serait possible dans un compte rendu destiné à son supérieur.

L'organisation informationnelle n'exige pas à présent une informatique avancée. Ce qu'elle exige seulement, c'est la volonté de se poser cette question : Qui requiert l'information, laquelle, quand et où ?...

L'organisation traditionnelle repose essentiellement sur les relations d'autorité. Le flux part du sommet pour se diriger vers la base. L'organisation informationnelle s'appuie sur la responsabilité. Le flux est circulaire, commence par un mouvement ascendant et enchaîne sur un mouvement descendant. Ce système ne peut fonctionner que si chaque individu et chaque unité acceptent la responsabilité : de leurs objectifs, de leurs priorités, de leurs relations et de leurs communications. Chacun doit se demander : « Quelles performances et quelles contributions attend-on de moi dans mon entreprise, et de quoi suis-je tenu responsable ? Dans cette organisation, qui doit savoir et comprendre ce que j'essaie de faire afin que nous puissions tous accomplir nos tâches ? De quelles personnes dois-je dépendre pour l'information, les connaissances et les compétences spécialisées ? Et qui, à son tour, dépend de moi pour l'information ? Qui dois-je soutenir et où puis-je trouver un soutien ? »

L'organisation conventionnelle des entreprises s'est modelée sur le système militaire. Le système informationnel ressemble beaucoup plus à un orchestre symphonique...

La pyramide de gestion traditionnelle

La direction analyse la situation de l'entreprise et de ses composantes. Elle prend des décisions pour en modifier les orientations, la structure, les méthodes de travail... Les employés de la base n'ont d'autre choix que d'exécuter les tâches selon les décisions prises par la direction. Pour s'assurer que tout se passe comme prévu, un système de contrôle doit donc être mis en place.

Voici l'illustration du concept :

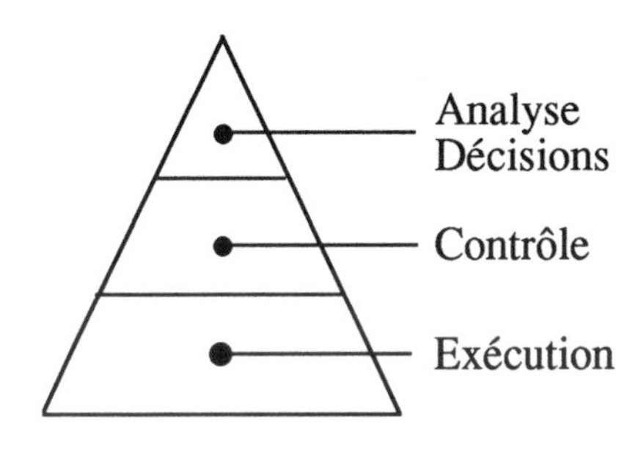

Figure 35

La pyramide favorable à la réalisation de la qualité totale

Nous n'irons pas suggérer la pyramide inversée, comme certains le préconisent. Selon nous, la pyramide organisationnelle la plus appropriée à l'approche *qualité totale* a, elle aussi, trois strates.

Connaissant les forces et les faiblesses du marché et celles de l'organisation, la direction a la responsabilité de la planification stratégique, c'est-à-dire de donner les grandes orientations à l'organisation et des cibles stratégiques. Au niveau de l'exploitation, les unités de travail exécutent les tâches, évaluent les résultats et corrigent, s'il y a lieu, les méthodes de travail en fonction des objectifs qu'elles se sont elles-mêmes fixés. Entre la planification stratégique et l'exploitation, il n'y manque qu'un système de communication, d'échange d'informations.

Voici une illustration de la pyramide favorable à la réalisation de la qualité totale :

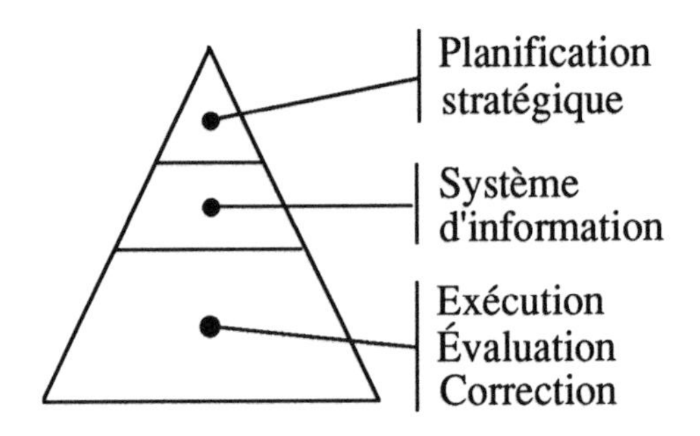

Figure 36

Les phases de maturité vers la qualité totale

Dans son livre *La qualité est gratuite*, Phil Crosby souligne les phases de maturité des entreprises vers la *qualité totale* :

1. L'incertitude
2. L'éveil
3. L'éclairement
4. La sagesse
5. La confiance, l'assurance.

L'incertitude

Dans cette première phase, les manquements à la qualité de service sont camouflés dans les activités de production. Les problèmes sont traités au fur et à mesure qu'ils se présentent. La direction ne considère pas le contrôle de la qualité comme un outil de gestion. On ignore où intervenir et comment agir pour changer la situation.

L'éveil

Une personne est nommée pour coordonner les efforts d'amélioration de la qualité des services mais l'accent demeure sur la quantité à produire. Il n'y a pas de solution à long terme des problèmes.

L'éclairement

Un service de surveillance de la qualité est habituellement responsable auprès de la haute direction. Les défaillances sont bien identifiées et le personnel de supervision en est informé. À ce titre, plusieurs grands « donneurs » d'ordre ont des programmes d'*assurance de la qualité* qu'ils imposent à leurs fournisseurs.

La sagesse

Le responsable de la qualité des services est un officier de la direction. Ce responsable a un mandat d'évaluer le niveau de qualité et de chercher à prévenir les défaillances. Dans cette phase, les problèmes sont identifiés dès leur origine.

La confiance, l'assurance

La haute direction considère la gestion de la qualité comme faisant partie intégrante des activités de l'entreprise, au même titre que toutes les autres. L'officier supérieur désigné a une responsabilité claire : la prévention des défaillances et l'amélioration constante de la qualité des services et des méthodes de travail.

Les caractéristiques des entreprises efficaces (Peters & Waterman)

Dans leur livre *Le prix de l'excellence, Les secrets des meilleures entreprises*, les auteurs ont identifié 43 firmes américaines qui ont atteint, selon eux, le niveau d'excellence. Ils citent Hewlett-Packard, McDonald's, Disney Corporation, Dana, 3M, Apple Computer, IBM, et bien d'autres.

Peters et Waterman ont cerné huit caractéristiques qui semblent communes à toutes ces entreprises :

1. elles ont un penchant pour l'action plutôt que pour l'analyse ;
2. elles vivent au contact du client ;
3. elles favorisent l'autonomie et l'esprit d'entreprise ;
4. elles visent la productivité en nourrissant la motivation;
5. elles diffusent les valeurs culturelles de l'entreprise ;
6. elles s'en tiennent à ce qu'elles savent faire ;
7. elles ont des structures simples et légères ;
8. elles savent concilier souplesse et rigueur.

Une réflexion salutaire

Lorsque des changements en profondeur sont nécessaires, une démarche est privilégiée : elle consiste en une session de remue-méninges (brainstorming) durant laquelle quatre points importants sont abordés, dans l'ordre, en toute franchise :

1. Quelle est la **MISSION** de l'entreprise, du service ?
2. Quelle **VISION** a-t-on de l'entreprise, du service pour l'avenir ? Que voulons-nous devenir ?
3. Quels sont nos **OBJECTIFS** précis pour réaliser cette vision ?
4. Quelles seront les **JALONS** de progrès ?

La réflexion amorcée de cette façon avec les cadres et les employés-clés de l'entreprise, dans un lieu retiré et propice à la réflexion, produit à coup sûr des effets étonnants.

Stratégie de mise en place de la qualité totale

Un programme de qualité totale ne peut être amorcé de façon aléatoire dans une entreprise. Puisque les enjeux sont importants (changer parfois la culture même de l'organisation), une stratégie doit être soigneusement préparée. Elle tiendra compte de la *technicité*, c'est-à-dire de la nature *technique* des activités de l'entreprise. Elle prendra aussi en compte les grandes orientations données par les dirigeants.

Le point de départ commande de connaître la situation, de poser un diagnostic. S'il est possible, de formuler des pronostics. Un plan d'action est alors élaboré. Une sensibilisation des employés aux résultats de l'enquête de satisfaction et aux conséquences de la non-qualité est entreprise. Pour leur apprendre à agir adéquatement en vue d'élever le niveau de qualité de service, des sessions de formation aux concepts et techniques de la qualité totale sont lancées. Des *Équipes d'amélioration de la qualité* sont formées. Les progrès sont évalués périodiquement. Des correctifs sont apportés...

Plus spécifiquement, la stratégie s'articule de la façon suivante :

1. Diagnostic qualité
   - Enquête de satisfaction auprès de la clientèle (besoins / attentes)
   - Enquête auprès des employés (perceptions, irritants / suggestions)
   - Évaluation du climat de travail
   - Identification des points forts et des faiblesses.
2. Élaboration du plan d'action
   - Finalisation de la stratégie
   - Communications
   - Secteurs visés prioritairement
   - Programme d'interventions
   - Calendrier.
3. Sensibilisation
   - Brochure de présentation du programme
   - Présentation du programme aux employés réunis en assemblée.
4. Formation
   (concepts et techniques de gestion de la qualité)
   - Sessions de deux ou trois jours pour le personnel d'encadrement

- Sessions d'un ou deux jours pour le personnel à l'exploitation.

5. Intégration des concepts et techniques
   - Lancement des *Comités ad-hoc*
   - Mise sur pied des *Équipes d'amélioration de la qualité.*
6. Suivi
   - Évaluation des progrès réalisés
   - Évaluation des compétences et des habiletés acquises
   - Évaluation périodique du processus d'amélioration continue.

Utilisation de ressources externes

Peu d'entreprises ont réussi la mise en place de la qualité totale sans avoir puisé à l'extérieur les notions et principes qui la régissent. Plusieurs bons ouvrages (comme celui-ci, espérons-le) servent de guide. Des colloques, des conférences aident également à comprendre les subtilités d'implantation de la qualité totale.

Des petites aussi bien que de grandes entreprises comme GM, IBM, Xerox, font appel aux services de consultants extérieurs pour éviter les erreurs coûteuses et le piétinement de départ. Il est indéniable que l'expérience de ces personnes ressources est recommandable en autant qu'elles ne se rendent pas indispensables et ne traînent pas les mandats à l'infini. Un bon conseiller cherchera dès le départ à rendre l'entreprise autonome dans sa démarche. La formation des employés à l'exploitation, par exemple, sera dispensée par des formateurs internes que le consultant aura formés.

Si la direction choisit une ressource externe, voici le déroulement possible du programme qualité totale :

1. La haute direction et le consultant extérieur élaborent la stratégie et définissent le plan d'action ;
2. Un officier supérieur est nommé responsable de l'implantation du programme de qualité et devient l'agent de liaison avec le consultant ;
3. Le consultant forme les cadres supérieurs de l'entreprise aux principes et techniques de la gestion de la qualité ;
4. Le consultant et l'officier de direction élaborent la campagne de promotion en entreprise, chez les clients et chez les fournisseurs ;
5. L'officier de direction et le consultant forment les cadres à l'exploitation ;
6. L'officier de direction dispense ou coordonne la formation des équipes à l'exploitation ;
7. L'officier de direction et le consultant lancent un premier projet d'intégration de la qualité ;
8. L'officier de direction dirige l'intégration, projet par projet, de la qualité totale dans l'entreprise, en collaboration avec le consultant ;
9. L'officier de direction et le consultant évaluent périodiquement les résultats obtenus.

Évaluation du temps requis

La mise en place de la qualité totale varie selon la taille de l'entreprise, la nature de ses services, son étalement géographique et la complexité de son organisation.

Réussir la qualité totale requiert normalement entre deux et cinq ans, parfois davantage dans certaines organisations. Une mise en place précipitée risque de tourner à la catastrophe : la crédibilité de la direction tombe alors à plat. Les employés ne savent plus quelles sont les valeurs privilégiées dans l'organisation (quantité, qualité, coûts, disponibilité, exactitude, délais..., direction autocrate, gestion participative...). C'est l'embrouillamini le plus total, l'antithèse de la qualité totale !

Plus que dans toute autre démarche, les faux pas sont à éviter. La route à suivre doit être bien tracée. La visibilité doit être parfaite pour piloter le programme avec assurance.

La route du succès

Les expériences vécues à travers le monde oriental aussi bien que le monde occidental nous ont montré les bonnes pistes à suivre. La route du succès est ainsi tracée :

1. Le climat général favorise l'acceptation d'un processus d'amélioration de la qualité ;
2. Le programme de qualité s'étend à toutes les activités de l'entreprise et bénéficie de la participation de tous les employés ;
3. Un « meneur » dans l'entreprise est prêt à risquer sa carrière en devenant le « porte-étendard » de la qualité. Ce « champion » a suffisamment d'influence pour faire bouger les choses mais demeure conscient que le programme ne peut fonctionner seul ;

4. L'énoncé de politique qualité de la haute direction est suivi de semblables énoncés dans chaque division ou service de l'entreprise, détaillant la contribution de chaque division ou service au plan global ;
5. Les cadres ont la même formation, et dans la même période de temps, que les employés à l'exploitation ;
6. La formation est donnée par petites « doses » sur une longue période de temps ;
7. Il est implicitement permis aux employés d'utiliser ce qu'ils ont appris ;
8. La formation comprend à la fois des notions techniques et behaviorales ;
9. Il est prévu que le processus d'amélioration s'échelonnera sur une longue période de temps ;
10. Le programme est périodiquement évalué et corrigé.

La route de l'échec

Comme sur la route du succès, l'histoire établit également les pièges et les écueils à éviter. Les expériences malheureuses dans certaines situations ont permis de tracer la route de l'échec :

1. Le climat de travail est teinté de la peur de réprimandes et de sanctions ;
2. La direction considère que la qualité totale n'est rien d'autre que du gros bon sens ;
3. Le programme d'amélioration de la qualité est lancé à l'échelon inférieur de l'exploitation (plutôt qu'à la tête dirigeante) ;
4. Le projet n'implique qu'un seul secteur de l'entreprise ;

5. Les divisions ou services ont le choix d'appliquer différentes méthodes ;
6. Le processus d'amélioration est initié par un ordre de la direction plutôt que par un engagement volontaire ;
7. Les divisions ou services ont le choix de décider quels employés auront la formation et lesquels pourront en être exemptés ;
8. La formation se limite seulement à une sensibilisation ;
9. Le responsable du programme n'a pas la formation adéquate ;
10. L'entreprise centre les efforts sur l'élimination de la non-qualité plutôt que de chercher à connaître les véritables attentes des clients ;
11. L'organisation cherche sans cesse les solutions rapides ;
12. La direction laisse sa conviction s'effriter, elle manque de ténacité et se désintéresse du programme.

S'engager sur l'une de ces pistes équivaut à jeter l'argent par les fenêtres. Et peu d'entreprises peuvent se le permettre de nos jours !

Matières à réflexion

Dans son livre *Management : Tasks, Practices, Responsibilities*, Peter Druker souligne que *la plupart des entreprises de services semblent trop centrées sur leur mission, sur leur raison d'être. Elles sont sur-administrées et suffoquent sous quantité de procédures, d'organigrammes bien fournis et de techniques de gestion. Ce qui manque à ces entreprises c'est une gestion axée sur les résultats.*

Dans leur livre *Une passion pour l'excellence*, Tom Peters et Nancy Austin ne considèrent pas la qualité comme une technique : *c'est un engagement de la direction envers les employés, les produits et les services ; un engagement passionnel et persistant, sur une très longue période de temps.*

Enfin, nous avons recueilli, dans la livraison d'avril 1986 du périodique *Quality Progress* de l'*American Society for Quality Control*, cette réflexion : *La qualité est un étalon dans la mesure de l'efficacité et de la bonne attitude. Cette qualité n'est donc pas qu'un ensemble de bons procédés et de méthodes efficaces, c'est une attitude positive qui conduit à des niveaux d'excellence inégalés, en plus d'apporter la grande satisfaction d'un travail bien fait.*

Réactions à prévoir dans la démarche vers la qualité totale

La mise en place de la qualité totale provoque généralement de grands remous dans l'organisation. Dans quelques cas, certains y voient une *planche de salut.* Dans d'autres situations, c'est avec appréhension qu'on accueille le programme. Par ailleurs, des employés peuvent n'y rien voir qui vaille la peine de s'énerver.

Puisqu'il s'agit d'une philosophie nouvelle, d'une logique parfois qualifiée de simpliste et de techniques longtemps ignorées, le choc ne passe généralement pas inaperçu...

Encore là, l'histoire nous enseigne que l'organisation traverse une dizaine de variétés de *sentiments*, de perceptions, avant de prétendre avoir atteint la qualité totale.

L'évolution des sentiments dans la démarche de qualité totale

1. Espoir
2. Enthousiasme
3. Déception
4. Découragement
5. Conviction
6. Encouragement
7. Satisfaction
8. Étonnement
9. Emballement
10. Euphorie.

Tour à tour, ces *sentiments* animent les employés dans une démarche, avouons-le, périlleuse mais combien gratifiante et *valorisante* non seulement pour le personnel de l'entreprise mais aussi pour les actionnaires...

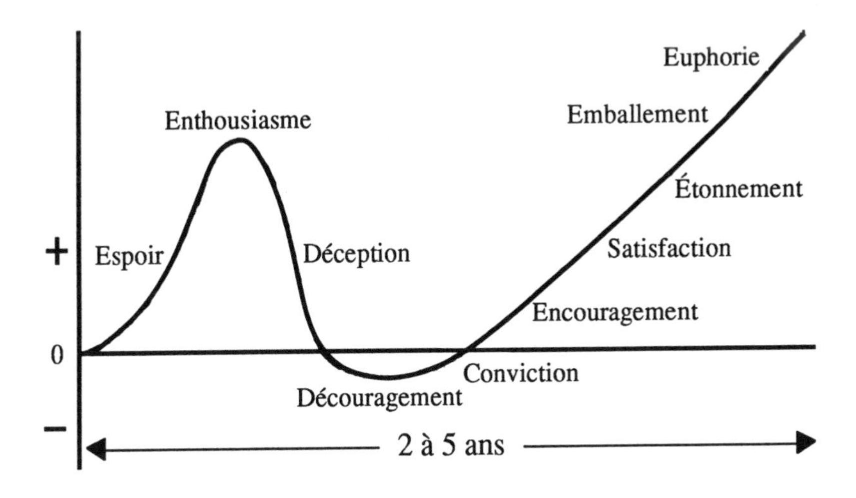

Figure 37

Chapitre 11

Plan d'action qualité

1. **Démontrer le besoin de changer**
2. **Sensibiliser les employés**
3. **Dispenser la formation**
4. **Démarrer le processus d'amélioration**
5. **Impliquer le plus grand nombre d'alliés dans la démarche**
6. **Célébrer les succès**
7. **Alimenter (à perpétuité!) le processus d'amélioration**

Plan d'action qualité

1. Démontrer le besoin de changer

- insatisfactions de la clientèle
- erreurs commises
- reprises de travail
- ampleur des rebuts
- coûts additionnels
  pour respecter les délais
- ...

Plan d'action qualité

2. Sensibiliser les employés

- dramatiser
- situation économique
- fermetures, fusions
- présenter les enjeux
- démontrer le besoin de changer
- ...

Plan d'action qualité

3. Dispenser la formation

- concepts et principes
- comment mobiliser les employé(e)s
- comment mesurer la qualité
- comment utiliser les techniques de détection et d'analyse des défaillances
- comment optimiser le processus

Plan d'action qualité

4. Démarrer le processus d'amélioration

- lancement de Comités ad-hoc
- lancement des Équipes d'amélioration de la qualité
- définition des indicateurs de qualité
- enquêtes de satisfaction
- saisie des données

Plan d'action qualité

5. Impliquer le plus grand nombre possible d'alliés

- rechercher des partenaires inconditionnels
- donner des porte-voix à ceux qui ont des idées d'amélioration
- écarter les « éteignoirs »
- rendre les fournisseurs partenaires des objectifs qualité

Plan d'action qualité

6. Célébrer les succès

- reconnaissance privée et publique
- participation à des colloques
- bonis en argent
- trophée « qualité »
- dîner « qualité »
- voyages

Plan d'action qualité

7. Alimenter (à perpétuité !) le processus d'amélioration

- **radoter avec passion :**

« Nous sommes ici

pour satisfaire

les besoins et les attentes

des clients

au moindre coût. »

Conclusion

À quand les premiers jalons ?

Bientôt, *XYZ Services* répondra mieux aux attentes de VOTRE clientèle. Cette entreprise aura une organisation plus simple que la vôtre, plus efficace, et son personnel sera plus compétent, hautement motivé et innovateur. Ses prix paraîtront ridicules par rapport aux vôtres. Ses délais de livraison seront insensés. Étonnamment, le niveau de qualité de ses services sera exceptionnellement élevé. Blâmerez-vous la conjoncture économique ? Le libre échange ? Les taux d'intérêts ?

« On a pas le temps de *faire* de la qualité ! » dites-vous ? Comment trouvons-nous le temps de corriger nos erreurs alors que nous n'avons pas suffisamment de temps pour bien faire les choses du premier coup ? Voilà un paradoxe difficile à expliquer. Pourquoi bien faire du premier coup? Imaginons un seul instant ce que peuvent représenter les coûts de reprise d'un travail mal fait...

La concurrence d'ici et d'ailleurs se fait vive, les rayons de courbure des virages technologiques se font de plus en plus serrés, la clientèle exige la qualité et la promptitude à répondre à ses demandes. Nous n'avons plus le choix : l'efficacité s'impose.

Les entreprises de services devront se mettre au pas de l'industrie : agir, mesurer, évaluer, réagir. Elles doivent adopter sans délai le *cercle vertueux de l'amélioration.*

Dans les institutions publiques, le défi est de taille : des années de nonchalance ont souvent teinté les organisations de laisser-aller. Les organigrammes bien fournis n'ont pas toujours réussi à aligner leur gestion vers des objectifs concrets, des résultats tangibles. Le spectre de la privatisation des institutions publiques se fera de plus en plus présent si ces organisations ne deviennent pas plus efficaces.

Quelle que soit l'organisation, publique ou privée, sa survie semble constamment menacée, comme si quelqu'un, quelque part, préparait sa fin. Seules survivront les entreprises de services qui auront vraiment compris les enjeux et auront intégré la qualité à toutes leurs activités, vers un seul but : donner au client ce qu'il veut, au moindre coût.

La qualité totale n'implique pas que la qualité technique. Elle signifie la qualité de l'accueil, la qualité de l'image, la qualité des communications, la qualité de la gestion, la qualité du service après-vente...

Qualité partout : TOTALE !

Le défi des années à venir pour toutes les entreprises commerciales, industrielles ou étatiques, se présente comme une mosaïque à trois volets :

1. répondre aux besoins et aux attentes de la clientèle ;

2. devenir plus efficace dans une organisation réduite ;

3. impliquer tous les employés dans un processus d'amélioration continue.

Le concept de la qualité totale répond bien au défi à relever parce qu'il sous-tend des techniques de gestion éprouvées. Dans le cercle vertueux de l'amélioration, les indices de qualité se mesurent aux attentes des clients. Toute l'organisation s'imprègne du désir de faire mieux. On récompense les succès...

Répétons une phrase chère au professeur Joseph Kélada de l'École des Hautes Études Commerciales de Montréal : *la qualité doit être... partout, par tous, en tout temps.* « Un beau souhait, une belle devise ! » direz-vous. Peut-être. Mais un tel énoncé est une semence qui, cultivée au sein de l'entreprise, peut devenir la valeur la plus importante que l'organisation aura diffusée de toute son existence !

La formule de la qualité totale peut être très simple. La Rôtisserie Jean XXIII à Trois-Rivières est presque toujours bondée de clients alors qu'elle est flanquée de restaurants de tous côtés. Lorsque j'ai demandé à la serveuse pourquoi la Rôtisserie Jean XXIII (restaurant en apparence très ordinaire) avait tant de popularité, elle m'a répondu : « Ici, c'est bon et on est gentil ! »

Nous avons voulu, par ce livre, fournir au lecteur un guide pour mettre en place des techniques éprouvées de gestion intégrale de la qualité.

Quels que soient les systèmes techniques utilisés dans votre entreprise, ils n'assureront pas à eux seuls la qualité totale. C'est pourquoi cet ouvrage s'est aussi voulu un outil pour développer une philosophie de gestion moderne axée sur la mobilisation de son actif le plus précieux dans l'entreprise : ses ressources humaines.

Dans un prochain livre, nous traiterons plus en détail des *Équipes d'amélioration de la qualité, leur composition et leur fonctionnement.* Il s'agit, là aussi, d'un guide pour mettre sur pied ces *Équipes* sans tomber dans les pièges qui guettent trop souvent des intervenants au départ pourtant bien intentionnés.

Bibliographie

Comprendre et réaliser la qualité totale,
Joseph Kélada, Éditions QUAFEC

Pour une qualité totale, Joseph Kélada, Éditions QUAFEC

Quality Control Handbook, Joseph Juran, McGraw-Hill

La qualité totale - Guide pratique pour les agents de maîtrise et les techniciens, Benedicte Gauthier et Jean-Louis Muller, Éditions Entreprises Modernes

La qualité, c'est gratuit, Philip B. Crosby, Economica, Paris

La qualité dans les services,
Joseph Juran, Association française de normalisation (AFNOR)

Le prix de l'Excellence,
Tom Peters et Robert Waterman, InterÉditions

Une passion pour l'excellence,
Tom Peters et Nancy Austin, InterÉditions

Le management dans le chaos, Tom Peters, InterÉditions

Total Quality Control, A.V. Feigenbaum, McGraw-Hill

Le contrôle statistique de la qualité,
Joseph Kélada, Éditions QUAFEC

La gestion intégrale de la qualité,
Joseph Kélada, Éditions Quafec

La qualité totale dans l'entreprise,
Gilbert Stora et Jean Montaigne, E.O., Paris

La qualité de service à la conquête du client,
Jacques Horovitz, InterÉditions

"Re-inventing the Corporation", John Naisbitt, Warner Books

"Productivity and quality through people",
Y.K. Shatty and Vernon M. Buehler, Quorum Books

"Quality, productivity and competitive position",
W. Edwards Deming, M.I.T. C.A.E.S.

La qualité dans l'entreprise,
A.A.E.P., Éditions d'organisation, Paris

La maîtrise de la qualité industrielle,
Robert Fey et Jean-Marie Gague, Éditions d'organisation, Paris

La qualité sans larmes, Philip B. Crosby, Economica, Paris

Qualité : la révolution du management,
W. Edwards Deming, Éditions Économica, Paris

Le T.Q.C. ou la qualité à la japonaise,
Dr Kaoru Ishikawa, AFNOR, Paris

Mobiliser l'intelligence de l'entreprise,
Hervé Sérieyx, E.M.E., Paris

L'entreprise du 3e type,
George Archier et Hervé Sérieyx, Éditions du Seuil, Paris

Gestion rationnelle de la qualité,
Yves Peyraut, Entreprise moderne d'édition

La maîtrise de la qualité,
Christian Doucet, Entreprise moderne d'édition

La gestion de la qualité administrative et informatique,
Jean-Marie Gogue et Robert Fey, Les éditions d'organisation

Les outils des cercles et de l'amélioration de la qualité,
B. Monteil, M. Périgord et G. Raveleau, Les éditions d'organisation

Les paradoxes de la qualité,
Isabelle Orgogozo, Les éditions d'organisation

Réussir la qualité totale,
Michel Périgord, Les éditions d'organisation

Mesure statistique de la qualité,
Jean-Marie Gogue, Les éditions d'organisation

Comment les Japonais qui produisaient mal produisent-ils maintenant trop bien?,
Jacques Volle, Éditions Hommes et Techniques

Le rapport qualité/prix,
Robert Tassinari, Les éditions d'organisation

QFD, une introduction,
A. Zaida, Éditions Technique et Documentation

MARQUIS
Montmagny, Qc
août 1993